Coleção LESTE

Fiódor Dostoiévski

O ETERNO MARIDO

Tradução, posfácio e notas
Boris Schnaiderman

editora■34

EDITORA 34

Editora 34 Ltda.
Rua Hungria, 592 Jardim Europa CEP 01455-000
São Paulo - SP Brasil Tel/Fax (11) 3811-6777 www.editora34.com.br

Copyright © Editora 34 Ltda., 2003
Tradução © Boris Schnaiderman, 2003

A FOTOCÓPIA DE QUALQUER FOLHA DESTE LIVRO É ILEGAL E CONFIGURA UMA
APROPRIAÇÃO INDEVIDA DOS DIREITOS INTELECTUAIS E PATRIMONIAIS DO AUTOR.

Edição conforme o Acordo Ortográfico da Língua Portuguesa.

Título original:
Viétchnii muj

Imagem da capa:
A partir de desenho de Oswaldo Goeldi, s.d.
(autorizada sua reprodução pela Associação Artística Cultural
Oswaldo Goeldi - www.oswaldogoeldi.com.br)

Capa, projeto gráfico e editoração eletrônica:
Bracher & Malta Produção Gráfica

Revisão:
Cide Piquet, Ricardo J. de Oliveira

1ª Edição - 1961 (José Olympio), 2ª Edição - 2003 (2 Reimpressões),
3ª Edição - 2010 (6ª Reimpressão - 2025)

Catalogação na Fonte do Departamento Nacional do Livro
(Fundação Biblioteca Nacional, RJ, Brasil)

Dostoiévski, Fiódor, 1821-1881
D724e   O eterno marido / Fiódor Dostoiévski;
tradução, posfácio e notas de Boris Schnaiderman —
São Paulo: Editora 34, 2010 (3ª Edição).
216 p. (Coleção Leste)

ISBN 978-85-7326-283-4

Tradução de: Viétchnii muj

1. Literatura russa. I. Schnaiderman, Boris.
II. Título. III. Série.

CDD - 891.73

O ETERNO MARIDO

1. Vieltchâninov 9
2. O cavalheiro do crepe no chapéu 19
3. Páviel Pávlovitch Trussótzki 33
4. A mulher, o marido e o amante 45
5. Lisa 55
6. Nova fantasia de um ocioso 67
7. O marido e o amante se beijam 75
8. Lisa adoece 89
9. O espectro 97
10. No cemitério 107
11. Páviel Pávlovitch se casa 117
12. Em casa dos Zaklébinin 129
13. De que lado pesa mais 153
14. Sáchenka e Nádienka 163
15. Ajustaram-se as contas 173
16. Análise 183
17. O eterno marido 193

Posfácio do tradutor 205

A tradução deste livro baseia-se nas seguintes edições russas: *Obras reunidas* (*Sobránie sotchnienii*), em 10 volumes, de Dostoiévski, Editora Estatal de Obras de Literatura (Goslitizdát), Moscou, 1956-58, e *Obras completas* (*Pólnoie sobránie sotchnienii*), em 30 volumes, publicada pela Academia de Ciências da U.R.S.S. (Ed. Naúka), Leningrado, 1972-90.

O ETERNO MARIDO

1.
VIELTCHÂNINOV

Chegara o verão e, contrariamente à expectativa, Vieltchâninov permaneceu em Petersburgo. Não pudera realizar a viagem que projetara ao sul da Rússia, e, quanto ao processo, não se lhe via o fim. Esse processo, a respeito de umas terras, estava tomando péssimo rumo. Ainda três meses antes, parecia muito simples, quase indiscutível; mas, de repente, tudo se transformou. "E, de modo geral, tudo começou a mudar para pior!" — Vieltchâninov repetia esta frase no íntimo, amiúde e com maldade. Tinha um advogado hábil, caro, famoso, e não poupava despesas; mas a desconfiança e a impaciência levaram-no a ocupar-se do caso também pessoalmente; lia, redigia arrazoados que seu advogado rejeitava infalivelmente, corria as repartições, colhia dados e, ao que parece, prejudicava muito o caso; pelo menos, o advogado queixava-se disso e convencia-o a ir veranear. Mas ele não se decidiu sequer a isto. A poeira, a atmosfera abafada, as noites brancas de Petersburgo, que irritavam os nervos — eis com o que se deliciava na cidade. O seu apartamento, nas proximidades do Teatro Bolchói, fora alugado recentemente, e também não dera bom resultado; "Tudo me sai às avessas!". A sua hipocondria aumentava diariamente; mas já fazia muito tempo que tinha uma tendência hipocondríaca.

Era um homem que vivera muito e à larga, estava longe de ser jovem — trinta e oito ou mesmo trinta e nove anos — e toda essa "velhice", como ele mesmo dizia, viera-lhe "quase de todo inesperadamente"; ele próprio compreendia, po-

O eterno marido

rém, que envelhecera não tanto pelo número dos anos, mas, por assim dizer, pela qualidade, e que tais males começaram por dentro e não por fora. Parecia ainda um sólido rapagão. Era um rapaz alto e corpulento sem um fio branco sequer entre os densos cabelos castanho-claros, com uma barba castanha também, que lhe chegava quase à metade do peito; à primeira vista, um tanto desajeitado e decaído; no entanto, examinando-o mais detidamente, distinguir-se-ia de imediato o cavalheiro de trato excelente e que recebera uma educação mundana. As maneiras de Vieltchâninov eram ainda livres, desempenadas e mesmo graciosas, a despeito do ar rabugento e desajeitado que adquirira. E mesmo agora, estava repassado do mais inabalável, do mais aristocrático e atrevido autoconvencimento, de cuja extensão talvez nem ele próprio suspeitasse, embora fosse pessoa não apenas inteligente, mas às vezes até judiciosa, quase instruída, e incontestavelmente dotada. A cor do seu rosto, franco e corado, distinguia-se outrora por uma delicadeza feminina e atraía a atenção das mulheres; e ainda havia quem exclamasse, ao vê-lo: "Que rapagão, é sangue e leite!". E, no entanto, esse "rapagão" era vítima de atroz hipocondria. Os seus olhos, grandes, azuis-claros, tinham também, uns dez anos atrás, em alto grau, algo que conquistava; eram olhos tão luminosos, tão alegres e despreocupados que, involuntariamente, atraíam quem quer que neles reparasse. Agora, com a aproximação dos quarenta, a luminosidade e o ar bondoso quase se apagaram nesses olhos, já rodeados de rugas ligeiras; por outro lado, surgiram neles o cinismo de um homem cansado e de moral não muito elevada, a esperteza, mais frequentemente um certo ar de zombaria e ainda um novo matiz, que não existia anteriormente: uns longes de dor e tristeza, de uma tristeza distraída, como que sem objeto, mas intensa. Essa tristeza manifestava-se sobretudo quando estava sozinho. E é estranho que esse homem barulhento, alegre e distraído, que havia apenas dois anos ainda contava com tanto espírito histórias tão engraçadas, nada apreciasse mais, agora, do que ficar absolutamente só. Intencionalmente, desfez-se de muitas amizades que, mesmo nesse momento, poderia muito bem não abandonar, apesar da ruína absoluta de sua condição financeira. É preciso reconhecer, porém, que a vaidade também contribuiu para isso: com a sua desconfiança e a sua vaidade, era-lhe impossível tolerar os amigos de outros tempos. Mas, na solidão, a própria vaidade começou a transformar-se pouco a pouco. Ela não diminuiu; aconteceu, até, o contrário: começou a assumir a forma de certa vaidade peculiar, de um tipo que não existia antes. E ele sofria, às vezes, por causas completamente diversas das de outrora — por motivos inesperados e absolutamente inconcebíveis até então, motivos "mais elevados" — "se é que podemos expressar-nos assim, se é que existem realmente motivos superiores e inferiores..." — acrescentava ele próprio.

Sim, chegara a isso também; lutava agora contra certas razões *superiores* que antes não o teriam obrigado sequer a deter-se e refletir. Em seu espírito, e em termos de consciência, entendia serem superiores todas as "razões" de que (para seu espanto) não podia de modo algum rir no íntimo — o que jamais lhe acontecera até então —, intimamente, bem entendido; oh, em sociedade, a coisa era diferente. Sabia perfeitamente que bastava apresentar-se uma ocasião, e no dia seguinte mesmo renunciaria, com a maior tranquilidade, alto e bom som — e apesar de quaisquer decisões misteriosas e pias de sua consciência —, a todas essas "razões superiores", e que ele mesmo seria o primeiro a rir delas, não confessando, naturalmente, nada. E isso se dava realmente assim, apesar de certa dose de independência de pensamento, bastante considerável até, conquistada por ele ultimamente, sobre as "razões inferiores" que o dominaram até então. E quantas vezes ele próprio, erguendo-se do leito de manhã, começava a envergonhar-se das ideias e sentimentos que tivera durante a noite de insônia! (Nos últimos tempos, sempre sofria de insônia.) Notara, havia muito, que se estava tornando extraordinariamente

O eterno marido

desconfiado em tudo, tanto nas coisas importantes como nas miúdas, e, por isso, resolvera confiar o menos possível em si mesmo. Ocorriam, no entanto, fatos cuja realidade de modo algum se podia deixar de reconhecer. Ultimamente, algumas vezes, de noite, os seus pensamentos e sensações transformavam-se quase tão completamente em comparação com os habituais, que, em grande parte, não tinham nenhuma semelhança com os que tivera na primeira metade do dia. Isto o deixou surpreso, e ele até consultou um médico famoso, que era, é verdade, seu conhecido; naturalmente, abordou o assunto em tom de brincadeira. Ouviu em resposta que o fato da modificação e, mesmo, do desdobramento de pensamentos e sensações, durante a insônia, e em geral à noite, é comum aos homens "que pensam e sentem com intensidade"; que as convicções de toda uma vida, às vezes, se transformam bruscamente, sob a influência melancólica da noite e da insônia; que se tomam, de súbito, sem o menor motivo, as mais decisivas resoluções, mas que, naturalmente, isso não devia passar de certa medida, e se, por fim, o indivíduo sentia demasiadamente em si esse desdobramento, e se o caso chegava a atormentá-lo, era indício indiscutível de que já se originara uma doença; e, por conseguinte, era preciso empreender algo, imediatamente. O melhor de tudo seria modificar radicalmente o sistema de vida, mudar a dieta ou, mesmo, iniciar uma viagem. Tornava-se útil, sem dúvida, um purgante.

Vieltchâninov não quis ouvir mais; a doença, porém, foi-lhe demonstrada cabalmente.

"Portanto, isso tudo é doença, todas essas 'razões superiores' são doença e nada mais!" — exclamava, às vezes, íntima e sarcasticamente. Não tinha vontade nenhuma de concordar com aquilo.

Pouco depois, aliás, começou a repetir-se de manhã aquilo que, antes, apenas excepcionalmente sucedia à noite, mas com maior amargura ainda, a cólera substituindo o remorso, o sarcasmo vindo em lugar do enternecimento. Em essência, vinham-lhe à lembrança com frequência cada vez maior, "subitamente e Deus sabe por que", acontecimentos de sua vida pregressa, acontecimentos remotos, mas que se apresentavam de certo modo peculiar. Havia muito, por exemplo, que Vieltchâninov se queixava de perda de memória: esquecia a fisionomia de gente conhecida, que, ao encontrá-lo, se ofendia com isso; um livro que lera meio ano atrás era, às vezes, esquecido completamente nesse período. Pois bem, apesar dessa evidente e cotidiana perda de memória (que muito o preocupava), tudo o que parecia referir-se a um passado distante, tudo o que chegara a esquecer completamente durante dez a quinze anos, tudo isso, às vezes, vinha-lhe bruscamente à lembrança, mas com uma tão surpreendente exatidão de impressões e pormenores, que era como se vivesse novamente aquilo. Alguns dos fatos lembrados estavam a tal ponto esquecidos que lhe parecia milagrosa a própria possibilidade de recordá-los. Mas isso ainda não era tudo; quem, entre as pessoas que tenham vivido muito, não possui recordações de uma certa peculiaridade? Mas o importante é que todo esse passado se apresentava agora sob um ângulo inteiramente novo, como que preparado por alguém, inesperado e, sobretudo, inconcebível. Por que certas recordações lhe pareciam, agora, verdadeiros crimes? Não se tratava apenas dos veredictos de seu espírito: não teria acreditado no seu espírito sombrio, solitário e doente; mas tudo atingia a maldição, chegava quase às lágrimas, que, se não apareciam, eram pelo menos interiores. Dois anos atrás, nem sequer acreditaria se lhe dissessem que haveria de chorar um dia! A princípio, aliás, as lembranças eram mais amargas que sentimentais; recordava certos insucessos mundanos, certas humilhações; lembrava, por exemplo, como "fora caluniado por um intrigante", em consequência do que deixara de ser recebido em determinada casa; como — e isso acontecera havia, até, relativamente pouco tempo — fora ofendido pública e ostensivamente, e não desafiara o ofensor para um duelo; como, certa vez, o atingiram com um epigrama bem

O eterno marido

espirituoso, em presença de lindas mulheres, e ele não soubera o que responder. Recordou mesmo duas ou três dívidas que deixara de pagar, insignificantes, é verdade, mas dívidas de honra, em relação a gente com quem deixara de privar e de quem já falava mal. Torturava-o também (mas apenas nos momentos mais atrozes) a lembrança de duas fortunas avultadas, que dissipara do modo mais estúpido. Logo, porém, suas recordações se transportaram para terreno "mais elevado".

De súbito, por exemplo, "sem mais aquela", lembrou o vulto esquecido, e esquecido no mais alto grau, de um velhote funcionário, bondoso, grisalho e ridículo, e que ele ofendera um dia, muito tempo atrás, pública e impunemente, por simples fanfarronada: unicamente para que não se perdesse um trocadilho feliz que lhe fizera a glória, e que fora depois repetido. Esquecera a tal ponto o incidente que não conseguia mais lembrar o sobrenome do velhote, embora todas as circunstâncias do acontecido lhe aparecessem subitamente com nitidez extraordinária. Lembrou claramente que o velho se pusera então a defender a filha solteirona, que vivia com ele, e sobre quem tinham começado a circular na cidade certos boatos. O velhinho pusera-se a responder e zangara-se, mas, de repente, caiu em pranto, aos soluços, diante de todos, o que chegou, mesmo, a causar certa impressão. Acabaram, por pilhéria, embriagando-o com champanhe e riram a valer. E quando, agora, Vieltchâninov lembrava, "sem mais aquela", como o velhote chorara aos soluços, escondendo o rosto entre os braços, qual uma criança, pareceu-lhe de repente que jamais o esquecera. Fato curioso: tudo isso lhe parecera então muito engraçado, mas agora dava-se o contrário; em relação aos pormenores, sobretudo e precisamente àquele de esconder o rosto entre os braços. Lembrou, a seguir, como, apenas por brincadeira, caluniara a linda esposa de um mestre-escola, e como a calúnia chegara aos ouvidos do marido. Vieltchâninov deixara pouco depois a cidadezinha em que viviam, não sabendo quais tinham sido as consequências da sua ação; agora, todavia, pôs-se de repente a imaginá-las, e Deus sabe até onde chegaria a sua imaginação, se não lhe aparecesse, de chofre, a lembrança, bem mais recente, de certa moça da pequena burguesia, de condição bem modesta, que nem sequer lhe agradava e da qual, para dizer a verdade, até se envergonhava, mas com quem tivera um filho, sem que ele mesmo soubesse para quê, e que abandonara simplesmente com a criança, sem se despedir ao menos (não havia tempo, é verdade), quando partira de Petersburgo. Passara depois um ano inteiro procurando aquela jovem, mas não conseguira encontrá-la. Aliás, reminiscências desse gênero, ele as tinha quase às centenas e parecia, até, cada lembrança arrastar consigo dezenas de outras. Pouco a pouco, a sua vaidade começou também a sofrer.

Já dissemos que a vaidade assumira nele certa forma peculiar. Era justo. Em certos momentos (raros, aliás), chegava a uma tal indiferença, que não se envergonhava, até, do fato de não possuir carruagem própria, de se arrastar a pé de uma repartição a outra, de ter se descuidado um pouco da indumentária; e isso chegou a tal ponto que, se um dos seus velhos conhecidos o medisse na rua com um olhar zombeteiro, ou simplesmente se lembrasse de não o reconhecer, ter-lhe-ia sobrado, realmente, altivez para não fazer sequer uma careta. Não fazer careta, mas a sério, de verdade, e não apenas na aparência. Naturalmente, isso acontecia de raro em raro, eram apenas momentos de irritação e de esquecimento de si próprio, mas, apesar de tudo, a sua vaidade começou, pouco a pouco, a afastar-se dos antigos pretextos e a concentrar-se ao redor de uma só questão, que lhe acudia incessantemente ao espírito.

"Pois bem — começava ele, às vezes, a pensar satiricamente (e, pensando em si mesmo, começava quase sempre pelo satírico) —, pois bem, alguém se preocupa com a correção da minha moral, e envia-me estas malditas recordações e 'lágrimas de arrependimento'. Seja, mas é em vão! É dar tiro com pólvora seca! Não sei eu com certeza, com certeza absoluta, que, apesar de todos esses lacrimosos arrependimentos e auto-condenações, não tenho em mim a menor dose sequer de independência, apesar de todos estes meus tão estúpidos quarenta anos? Com efeito, se me surgir uma tentação no mesmo gênero, se aparecerem novamente, por exemplo, circunstâncias que tornem vantajoso para mim espalhar o boato de que a esposa do mestre-escola recebeu de mim presentes, hei de espalhar, com certeza, esse boato, sem vacilar, e o caso será ainda pior, mais vil, por tratar-se já da segunda e não da primeira vez. E se agora tornasse a ofender-me aquele principelho, filho único, que vivia com a mãe, e a quem, onze anos atrás, inutilizei a perna com um tiro, eu o desafiaria novamente para um duelo e lhe faria presente de uma segunda perna de pau. Não serão, pois, tiros com pólvora seca? E qual a vantagem deles? E para que lembrar, se não consigo dar, pelo menos de algum modo, uma saída decente a mim mesmo?!"

E embora não se repetisse o incidente com a mulher do professor, embora não fizesse mais presente de uma perna de pau a ninguém, o mero pensamento de que isso deveria repetir-se, inevitavelmente, se aparecesse a ocasião, quase o matava... às vezes. Com efeito, não se fica sofrendo a vida toda com as recordações; pode-se descansar e passear um pouco — nos entreatos.

E assim fazia Vieltchâninov: estava pronto a passear nos entreatos; mas, apesar de tudo, a sua vida em Petersburgo tornava-se cada vez mais desagradável. Já se aproximava o mês de julho. Às vezes, tomava a decisão de abandonar tudo, inclusive o processo, e viajar para alguma parte, de repente, sem olhar para trás, como que sem querer, ainda que fosse, por exemplo, para a Crimeia. Mas, uma hora depois, quase sempre, já desprezava essa ideia e zombava dela: "Esses maus pensamentos não vão cessar, mesmo em qualquer região sulina, uma vez que já tiveram início e que eu sou, em certa medida, uma pessoa decente; por conseguinte, não há motivo para fugir deles".

"E para que fugir? — continuava a filosofar amargamente. — Tudo aqui é tão poeirento, tão sufocante, tudo ficou tão sujo nesta casa; nessas repartições, por onde me arrasto, e em toda essa gente de negócios, há tanta agitação de camundongo, tanto cuidado mesquinho; em toda essa gente que ficou na cidade, em todos esses rostos que me aparecem de manhã e à noite, está revelada tão ingênua e sinceramente toda a sua autoadmiração, toda a sua insolência simplória, toda a covardia de suas almas miúdas, toda a galinhice de seus mesquinhos corações, que, realmente, isto aqui é o paraíso do hipocondríaco, para falar de verdade, a sério! É tudo franco, tudo claro, ninguém considera sequer necessário dissimular, como acontece com as nossas damas nas casas de campo ou nas estações de águas, no estrangeiro; por conseguinte, tudo aqui merece muito mais respeito, pelo simples fato da sua sinceridade e singeleza... Não partirei! Vou arrebentar aqui, mas não irei a parte alguma!..."

2.
O CAVALHEIRO DO CREPE NO CHAPÉU

Era três de julho. O calor sufocante estava intolerável. O dia de Vieltchâninov foi dos mais movimentados: tivera que andar ora a pé, ora de carro, a manhã inteira, e havia a perspectiva da necessidade inadiável de ir visitar, naquela tarde mesmo, uma pessoa útil no seu caso, homem de negócios e conselheiro de Estado,[1] que ele pretendia surpreender em sua casa de campo, junto ao riacho Tchórnaia. Às cinco e tanto, Vieltchâninov entrou finalmente num restaurante (bastante suspeito, mas francês) da Avenida Niévski,[2] junto à ponte Politzéiski, sentou-se no habitual cantinho, à mesa de sempre, e pediu o seu jantar de todos os dias.

O jantar diário custava-lhe um rublo; o vinho era pago separadamente, e ele considerava aquela refeição um sacrifício sensato, devido ao mau estado das suas finanças. Surpreendendo-se de que lhe fosse possível comer aquele horror, ia, no entanto, devorando tudo, até a derradeira migalha, e sempre com tal apetite, que parecia não comer havia três dias. "É algo doentio" — murmurava para si mesmo, notando, às vezes, aquele seu apetite. Mas, desta vez, Vieltchâninov sentou-se à sua mesinha no pior dos estados de espírito, jogou com

---

[1] Um dos graus elevados da hierarquia burocrática, no regime tsarista. (N. do T.)

[2] A principal avenida de São Petersburgo. (N. do T.)

raiva o chapéu para um canto, apoiou os cotovelos na mesa e ficou pensativo. Bastava que o vizinho da mesa ao lado fizesse o menor barulho, ou que o garoto que servia como garçom não o compreendesse logo à primeira palavra, e ele, que sabia ser tão delicado e, quando necessário, tão altivamente imperturbável, faria com certeza estardalhaço, como um cadete, e talvez provocasse, mesmo, um escândalo.

Serviram-lhe sopa; ele apanhou a colher, mas, de repente, atirou-a sobre a mesa, e pouco faltou para que pulasse da cadeira. Teve de súbito uma ideia inesperada: naquele momento, sabe Deus por que processo, compreendeu de chofre, plenamente, a razão da sua angústia, da sua especial e particular angústia, que já o torturava havia dias, que o assaltava, ultimamente, sabe Deus como, e que não o abandonava, de modo algum, sabe Deus por quê; naquele momento, num relance, tudo lhe surgia claro e simples, como os cinco dedos da mão.

— É sempre este chapéu! — murmurou como que inspirado. — É apenas este maldito chapéu redondo, com seu horrível crepe, a causa de *tudo*!

Começou a pensar, e, quanto mais refletia, mais sombrio se tornava, e mais surpreendente lhe parecia "todo o acontecimento".

"Mas... trata-se, mesmo, de um acontecimento? — protestava ele, não confiando em si mesmo. — Existe nisso algo sequer que se pareça com um acontecimento?"

Eis em que consistia todo o caso: quase duas semanas antes (não se lembrava bem, mas julgava que fossem duas semanas) encontrara pela primeira vez, na rua, à altura do cruzamento das ruas Podiátcheskaia e Mieschânskaia, um cavalheiro usando crepe no chapéu. Era um cavalheiro como outro qualquer, nada tinha de especial; passou depressa, mas olhou para Vieltchâninov com certa insistência, atraindo logo, por algum motivo, a atenção extraordinária deste. Pelo menos, Vieltchâninov julgou reconhecer-lhe as feições. Provavelmente, vira-as um dia, em alguma parte. "Aliás, quantos milhares de rostos já encontrei na vida? Impossível lembrar-se de todos!" Depois de uns vinte passos, parecia ter já esquecido aquele encontro, apesar da intensidade da primeira impressão. E, no entanto, essa impressão persistiu pelo dia todo, e de modo bastante original: na forma de certo rancor peculiar, sem objeto. Agora, passadas duas semanas, lembrava tudo isso com nitidez; recordava também que, naquela ocasião, não compreendera de modo algum de onde lhe viera aquele rancor, a tal ponto que não estabeleceu, uma vez sequer, analogia entre o seu encontro matinal e o seu mau humor nas horas do anoitecer. Mas aquele cavalheiro apressou-se em se fazer lembrar e, no dia seguinte, tornou a topar com Vieltchâninov na Avenida Niévski e, novamente, olhou-o de certo modo estranho. Vieltchâninov cuspiu, mas, depois de fazê-lo, admirou-se imediatamente da sua cuspida. Com efeito, existem fisionomias que provocam de imediato uma repugnância sem objeto, sem finalidade. "Sim, realmente, eu já o encontrei em alguma parte" — murmurou ele pensativo, meia hora depois do encontro. Em seguida, passou mais uma vez as horas do anoitecer no pior estado de espírito; teve até certo pesadelo de noite, e, apesar de tudo, não lhe viera à mente que toda a causa daquele novo e singular mal-estar fosse apenas o cavalheiro de luto, embora, antes de dormir, pensasse nele mais de uma vez. Chegou até a irritar-se porque "uma ninharia daquelas" pudesse ocupar-lhe a memória por tanto tempo; certamente, porém, consideraria humilhante atribuir àquele indivíduo toda a sua perturbação, se tal pensamento sequer lhe viesse à cabeça. Dois dias depois, tornaram a encontrar-se, em meio à multidão, à saída de um navio do Nievá.[3] Desta vez, a terceira, Vieltchâninov estava pronto a jurar que o cavalheiro do crepe no chapéu reconhecera-o e fizera um movimento brusco em sua direção, sendo empurrado e comprimido pela mul-

---

[3] Rio que banha São Petersburgo. (N. do T.)

tidão; parece que até "ousara" fazer-lhe um gesto com a mão; talvez até soltasse um grito, chamando-o pelo nome. Isto, aliás, Vieltchâninov não distinguira claramente, mas... "quem é esse canalha, e por que não vem logo a mim, se realmente me está reconhecendo, e se tem tanta vontade de me procurar?" — pensou com raiva, sentando-se num fiacre, para se dirigir ao convento Smólni. Meia hora depois, já estava discutindo ruidosamente com seu advogado; todavia, à tarde e à noite, uma angústia atroz, fantástica o martirizava. "Não será um derrame de bílis?" — interrogava-se inquieto, examinando-se ao espelho.

Foi o terceiro encontro. Depois, durante uns cinco dias, não encontrou absolutamente "ninguém", e o "canalha" não deu nenhum sinal de vida. No entanto, de vez em quando Vieltchâninov lembrava-se do cavalheiro do crepe no chapéu. Um tanto espantado, surpreendia-se a imaginar: "Terei tanta vontade de revê-lo?... Hum!... também ele, provavelmente, tem muito que fazer em Petersburgo... E por que estará de luto? Pelo visto, reconheceu-me, e eu não sei quem ele seja. E por que essa gente usa crepe? Não lhes fica bem... Tenho a impressão de que vou reconhecê-lo se o examinar mais de perto...".

Algo pareceu começar a mover-se em suas recordações — algo assim como uma palavra conhecida que, por algum motivo, de repente esquecemos, mas que buscamos lembrar com todas as nossas forças: conhecemos essa palavra muito bem, e sabemos que a conhecemos; sabemos o que significa e tateamos ao redor; mas a palavra não quer de modo algum vir-nos à memória, por mais que lutemos!

"Isto foi... Isto foi há muito... em alguma parte... Aí aconteceu... aí aconteceu... mas, que o diabo carregue tudo, o que aconteceu e o que não aconteceu!... — exclamou de repente, com raiva. — E valerá a pena envilecer-me e humilhar-me assim por causa desse canalha?!..."

Irritou-se terrivelmente; mas, à noitinha, quando se lembrou, de súbito, de que se irritara tão "terrivelmente", teve um sentimento muito desagradável: foi como se alguém o tivesse surpreendido numa ação má. Ficou perplexo, assombrado: "Existe, pois, alguma razão para que eu me irrite assim... sem mais aquela... só com a lembrança..." Não concluiu o pensamento.

E, no dia seguinte, irritou-se ainda mais; desta vez, porém, teve a impressão de que havia motivo e de que tinha toda a razão. "O atrevimento fora inaudito": ocorrera o quarto encontro. O senhor do crepe no chapéu aparecera novamente, como que surgindo do chão. Vieltchâninov acabava de surpreender na rua aquele mesmo conselheiro de Estado, de quem tanto precisava, e a quem procurara inopinadamente encontrar em sua casa de campo, já que esse funcionário, que Vieltchâninov mal conhecia, não se deixava apanhar de surpresa, escondendo-se, segundo parecia, e empenhando-se em evitar aquele encontro com Vieltchâninov; alegrando-se por tê-lo finalmente encontrado, este caminhou ao seu lado, estugando o passo, fitando-o nos olhos e concentrando todas as suas forças no sentido de conduzir aquele homem grisalho e ladino para um tema, para uma conversa em que ele talvez deixasse escapar, de algum modo, certa palavrinha há muito esperada; mas o homem ladino e grisalho estava também de espírito prevenido, dava risadinhas e calava... E foi justamente nesse momento de tanta preocupação que o olhar de Vieltchâninov distinguiu, de repente, na calçada oposta, o cavalheiro do crepe no chapéu. Estava parado e olhava fixamente para ambos; era evidente que os seguia e parecia até divertir--se à custa deles.

"Com os diabos! — enraiveceu-se Vieltchâninov; deixara já o funcionário e atribuía todo o seu fracasso ao aparecimento inesperado daquele 'insolente'. — Com os diabos, parece que anda me espionando! Segue-me, certamente! Alguém o terá contratado para isso, e... e... e, por Deus, zombava de mim! Juro por Deus que hei de espancá-lo... É uma pena, mesmo, que não tenha comigo uma bengala! Vou comprar uma bengala! Não vou deixar as coisas assim! Quem será ele? Quero, sem falta, saber quem é."

Afinal — exatamente três dias depois deste encontro (o quarto) — encontramos Vieltchâninov no seu restaurante, tal como descrevemos, já profundamente perturbado e, mesmo, um tanto fora de si. Não podia, sequer, deixar de confessar tal fato a si próprio, apesar de todo o seu orgulho. Tendo examinado todas as circunstâncias, era obrigado, finalmente, a admitir que a causa de todo o seu mal-estar, de toda a sua angústia *singular* e de todas as emoções daquelas duas semanas, não era outra senão aquele mesmo senhor de luto, "apesar de toda a sua insignificância".

"Admitamos que eu seja um hipocondríaco — pensou Vieltchâninov — e que, por conseguinte, esteja pronto a transformar um mosquito num elefante. Mesmo assim, terei algum alívio pelo fato de que tudo isso *talvez* seja apenas fantasia? Se cada patife desses puder transtornar completamente uma pessoa, então... então..."

Realmente, no encontro daquele dia (o quinto), e que tanto perturbara Vieltchâninov, o elefante quase tivera a aparência de um mosquito: tal como dantes, aquele cavalheiro passara depressa, mas sem examinar Vieltchâninov e sem aparentar, desta vez, que o conhecia; ao contrário, baixou o olhar e, segundo parecia, havia nele um forte desejo de não ser reconhecido. Vieltchâninov voltara-se e gritara a plenos pulmões:

— Olá, o senhor aí! O de crepe no chapéu! Está se escondendo agora! Espere aí: quem é o senhor?

Tanto a pergunta como aqueles gritos eram completamente fora de propósito. Mas foi somente depois de ter gritado que Vieltchâninov o percebeu. Ouvindo os gritos, o cavalheiro voltou-se, deteve-se por um instante, mostrou-se perturbado, sorriu, quis dizer algo, fazer qualquer coisa; por um instante esteve, por certo, terrivelmente indeciso; mas, súbito, virou-se e pôs-se a correr sem se voltar. Vieltchâninov acompanhou-o, surpreso, com o olhar.

24   Fiódor Dostoiévski

"E então? — pensou. — E se, realmente, não é ele quem me persegue, mas, ao contrário, sou eu que tenho essa conduta para com ele, resumindo-se nisso todo o caso?" Depois do jantar, apressou-se em ir para a casa de campo do funcionário. Não o encontrou; disseram-lhe que "não veio desde a manhã, e é pouco provável que volte hoje, antes das duas ou três da madrugada, porque ficou na cidade, numa festa de aniversário". Isso já era a tal ponto "ofensivo" que Vieltchâninov, no primeiro assomo de cólera, quis ir àquele aniversário, e chegou mesmo a dirigir-se para lá. No caminho, todavia, considerou que se excedia um pouco; dispensou o fiacre a meio da viagem e arrastou-se a pé até sua residência, perto do Teatro Bolchói. Sentia necessidade de caminhar. Para acalmar os nervos excitados, precisava dormir aquela noite, apesar da insônia, custasse o que custasse; e para adormecer era necessário, pelo menos, ficar cansado. Assim, chegou em casa somente às dez e meia, pois o caminho fora bastante longo, e ele ficara de fato muito cansado.

O apartamento que alugara em março, e contra o qual deblaterava tão acerbamente, desculpando-se consigo mesmo, repetindo que "aquilo tudo não passava de um breve acampamento", e que ele "se afundara" em Petersburgo sem querer, por causa daquele "maldito processo", esse apartamento não era de modo algum tão feio, nem indecente, como costumava dizer. A entrada, realmente um tanto escura, "emporcalhada", ficava bem junto à porta-cocheira; mas o próprio apartamento, no segundo andar, consistia em dois aposentos amplos, claros e de teto alto, separados por uma escura saleta de entrada; deste modo, um dava para a rua e outro para o pátio. O das janelas para o pátio tinha ao lado um pequeno cômodo, destinado para quarto de dormir; Vieltchâninov, porém, deixara ali papéis e livros, jogados em desordem, e dormia num dos aposentos maiores — o que dava para a rua. Arrumavam-lhe o leito num sofá. Tinha mobília razoável, ainda que usada; além disso, havia ali objetos caros até,

O eterno marido

25

restos de antiga opulência: brinquedos de porcelana e bronze, tapetes de Bukhara, grandes e autênticos; sobraram mesmo dois quadros nada maus; mas tudo estava em evidente desordem, fora de lugar e até empoeirado, desde que Pielaguieia, a moça que lhe servia de empregada, fora passar algum tempo com os pais em Novgorod, deixando-o sozinho. Essa circunstância estranha, de uma criada moça e sozinha em casa de homem solteiro, mundano, e que pretendia manter o decoro, quase fazia corar Vieltchâninov, embora ele estivesse muito satisfeito com aquela Pielaguieia. A moça entrara ao seu serviço na ocasião em que ele alugara aquela residência, na primavera; viera da casa de uma família conhecida, que viajara para o estrangeiro. Dera imediatamente certa ordem ao apartamento e, após a sua partida, ele não se decidira a providenciar outra empregada; também não valia a pena contratar um criado para um período tão curto. Além disso, não gostava de criados homens. A situação ficou resolvida do seguinte modo: todas as manhãs, vinha arrumar os seus quartos a irmã da zeladora, Mavra, a quem ele deixava a chave, ao sair de casa; ela não fazia absolutamente nada, recebia o dinheiro e, provavelmente, ainda roubava. Mas ele não se importava mais com coisa alguma; estava até satisfeito com o fato de ficar agora em casa completamente só. Tudo, porém, tem certo limite, e os seus nervos, em determinados momentos biliosos, não concordavam de modo algum com toda aquela "imundície"; e toda vez que voltava para casa, era quase sempre com repugnância que entrava no apartamento.

Mas, desta vez, mal se concedeu o tempo de se despir, atirou-se ao leito, decidindo, irritado, não pensar em nada, e adormecer a todo custo, "naquele mesmo instante". Fato curioso, adormeceu de repente, apenas a sua cabeça encostou no travesseiro. Havia quase um mês que isso não acontecia.

Dormiu perto de três horas, mas o sono foi inquieto; teve sonhos estranhos, como se costuma ter quando se está com febre. Tratava-se de certo crime, que ele teria cometido e ocul-

Fiódor Dostoiévski

tado, e de que o acusava, em uníssono, gente que não cessava de entrar em sua casa, vinda não se sabia de onde. Reuniu-se ali uma imensa multidão, mas não cessava de entrar gente, de modo que a porta não fechava mais, permanecendo aberta de par em par. Mas todo o interesse se concentrou, por fim, num homem estranho, a quem conhecera intimamente, mas que havia morrido, e agora, por algum motivo, também entrava inopinadamente em sua casa. O mais penoso era que Vieltchâninov não sabia quem era aquele homem, esquecera-lhe o nome e não conseguia de modo algum lembrá-lo; sabia apenas que, outrora, tivera-lhe viva afeição. Parecia que as demais pessoas que entravam esperavam também desse homem a palavra mais importante: a inculpação ou absolvição de Vieltchâninov, e estavam todos impacientes. Mas ele permanecia sentado à mesa, impassível, calava-se e não queria falar. O ruído não cessava, a irritação crescia e, de repente, enfurecido, Vieltchâninov bateu naquele homem, porque ele não queria falar, e sentiu com isso uma estranha delícia. O seu coração petrificou-se de horror e sofrimento pelo ato cometido, mas nesse petrificar-se é que consistia sua delícia. Completamente fora de si, bateu uma segunda e uma terceira vez, e, presa de certo inebriamento, a que a cólera e o medo davam origem, e que raiava pela insânia, mas que encerrava também uma delícia infinita, ele não contava mais os golpes e batia sem cessar. Queria destruir tudo, *tudo aquilo*. De repente, aconteceu algo; todos se puseram a gritar muito e voltaram-se, em expectativa, para a porta, e, nesse momento, a sineta ressoou três vezes, mas com tal força, que era como se quisessem arrancá-la. Vieltchâninov acordou, voltou a si num instante, pulou impetuosamente do leito e correu para a porta; estava plenamente convicto de que o toque de sineta não era sonho e que, de fato, alguém tocara naquele instante. "Seria demasiado estranho se um toque tão nítido, tão real, tão sentido, fosse apenas sonhado por mim!"

Mas, para sua surpresa, o toque de sineta fora também

O eterno marido

apenas sonho. Abriu a porta e saiu para o corredor, espiou até a escada: não havia ali vivalma. A sineta pendia, imóvel. Surpreso, mas satisfeito, voltou para a sala. Acendendo a vela, lembrou-se de que a porta estava apenas encostada, e não fechada à chave e tranqueta. Frequentemente lhe acontecera, antes, ao voltar para casa, esquecer-se de trancar a porta, sem que atribuísse grande importância ao fato. Em várias ocasiões, Pielaguieia o censurara por isso. Voltou à saleta de entrada a fim de trancar a porta; abriu-a mais uma vez, espiou o corredor e fez correr a tranqueta; todavia teve preguiça de dar uma volta à chave. O relógio bateu duas e meia; dormira, portanto, três horas.

O sonho perturbara-o a tal ponto que não quis deitar-se de novo naquele instante, e resolveu ficar andando meia hora pelo quarto — "o tempo de fumar um charuto". Vestindo-se às pressas, acercou-se da janela, suspendeu o grosso reposteiro de damasco, depois a cortina branca. Era dia, já. As claras noites de verão de Petersburgo acarretavam-lhe sempre uma irritação nervosa e, ultimamente, ainda contribuíam para a sua insônia, de modo que, umas duas semanas atrás, ele propositadamente mandara pregar nas janelas aqueles grossos reposteiros de damasco que, descidos completamente, vedavam a luz. Tendo deixado entrar a claridade, e esquecendo sobre a mesa a vela acesa, pôs-se a andar pela sala, sempre imbuído de certa sensação incômoda e penosa. Achava-se ainda sob a impressão do sonho. Perdurava nele um grave sofrimento, pelo fato de ter podido erguer o braço contra aquele homem e bater nele.

"Mas esse homem não existe e nunca existiu, é tudo sonho; por que, então, essas lamúrias?"

Enraivecido, e como se todas as suas preocupações convergissem para esse ponto, pôs-se a pensar que, decididamente, estava ficando doente, "um homem doente".

Era-lhe sempre penoso confessar que estava envelhecendo ou debilitando-se, e, com rancor, exagerava em seus maus momentos uma e outra coisa, de caso pensado, a fim de provocar a si mesmo.

— É a velhice! Estou envelhecendo de verdade — murmurava, caminhando pelo aposento. — Perco a memória, vejo fantasmas, sonhos, sinetas tocando... Diabo! Sei, por experiência, que semelhantes sonhos, em mim, sempre indicam um estado febril... Estou certo de que toda essa "história" do crepe talvez não passe também de sonho. Decididamente, ontem pensei certo: eu, eu é que o persigo e não ele a mim! Faço dele um poema, e, tomado de medo, eu próprio me escondo embaixo da mesa. E por que o chamo de canalha? Talvez seja uma pessoa bem decente. O rosto, de fato, é desagradável, embora não haja nele nada particularmente feio; está vestido como todo mundo. Tem somente um olhar... Aí está, recomeço! Ocupo-me dele novamente! E que diabo tenho eu com o seu olhar? Será que não posso viver sem esse... crápula?

Entre os pensamentos que lhe vinham à cabeça, houve um que o magoou muito: pareceu-lhe, de súbito, que o cavalheiro de crepe já tivera com ele relações de amizade e que, agora, encontrando-o, zombava dele, pelo fato de conhecer algum grande segredo seu de outros tempos, e de vê-lo, naquele momento, numa condição assim humilhante. Acercou-se maquinalmente da janela, para abri-la e aspirar o ar noturno e... de repente, estremeceu todo: teve a impressão de que, diante dele, realizara-se algo inaudito, extraordinário.

Ainda não tivera tempo de abrir a janela, mas esgueirou-se o mais depressa possível para além da quina e escondeu-se: sobre a calçada deserta, em frente, vira de súbito, bem diante da casa, o cavalheiro do crepe no chapéu. Estava parado na calçada, o rosto voltado para as janelas do apartamento, mas, segundo parecia, sem notar Vieltchâninov, e, fato curioso, examinava a casa como que refletindo em algo. Tinha-se a impressão de que examinava algo mentalmente e de que estava ocupado em tomar uma decisão; levantou o braço, parecendo encostar um dedo à testa. Finalmente, decidiu-se:

O eterno marido

espiou furtivamente ao redor e, pondo-se na ponta dos pés e esgueirando-se, atravessou às pressas a rua. Não havia dúvida: atravessou a porta-cocheira, o portão (que ficava aberto, no verão, às vezes até as três horas da manhã). "Vem a minha casa" — passou, rápido, pelo espírito de Vieltchâninov. De súbito, correndo também na ponta dos pés, este precipitou--se para a saleta de entrada e deteve-se diante da porta, em expectativa, petrificado, a mão direita, trêmula, posta de leve sobre a tranqueta que havia pouco fizera correr, o ouvido intensamente atento ao rumor esperado de passos na escada.

O coração batia-lhe com tanta força, que chegou a recear não ouvir quando o desconhecido subisse na ponta dos pés. Não compreendia o que se passava, mas sentia tudo com decuplicada intensidade. Era como se o seu recente sonho se confundisse com a realidade. Vieltchâninov era corajoso por natureza. Às vezes, na espera de um perigo, gostava de levar o seu destemor a uma espécie de ostentação, mesmo quando ninguém visse, e isso unicamente por autocontemplação. Mas, desta vez, havia algo mais. O hipocondríaco lamuriento e desconfiado transformara-se completamente: era outro homem, agora. Um riso nervoso, abafado, sacudia-lhe o peito. Através da porta trancada, adivinhava cada movimento do desconhecido.

"Ah, ei-lo que sobe, chegou e está olhando em torno, inclina-se para escutar se há alguém na escada; respira a custo, desliza furtivamente... Ah, pegou na maçaneta e puxa-a, experimentando! Contava não encontrar a minha porta trancada! Sabia, pois, que eu, às vezes, a esqueço aberta! Está novamente puxando a maçaneta; pensa, acaso, que a tranqueta vai saltar? Tem pena de desistir? Lamenta ter vindo em vão?"

De fato, tudo se passou certamente como Vieltchâninov imaginara: alguém estava com efeito parado à porta, forçava a fechadura de leve, sem ruído, puxava a maçaneta e... "naturalmente, tinha o seu objetivo". Vieltchâninov, porém, já resolvera o problema; e esperava aquele momento com uma espécie de exaltação, preparava-se com esperteza, continha-se: teve um desejo invencível de fazer correr a tranqueta, abrir de súbito a porta de par em par e dar de cara com o "espantalho". Diria: "O que está fazendo aqui, meu caro senhor?".

Foi o que aconteceu; tendo escolhido o momento, levantou bruscamente a tranqueta, empurrou a porta e... quase esbarrou no cavalheiro do crepe no chapéu.

3.
PÁVIEL PÁVLOVITCH TRUSSÓTZKI

O outro pareceu petrificado. Encontravam-se frente a frente, no umbral da porta, fitando-se bem nos olhos. Passaram-se assim alguns instantes, e, de súbito... Vieltchâninov reconheceu o visitante!

Ao mesmo tempo, este, provavelmente, adivinhou também que Vieltchâninov o reconhecera: denotou-o pelo brilho do olhar. Num instante, seu rosto pareceu desmanchar-se no mais doce sorriso.

— Tenho, certamente, o prazer de falar com Aleksiéi Ivânovitch, não? — disse, quase cantando, com a mais terna das vozes, e cujo caráter inoportuno, naquelas circunstâncias, raiava pelo cômico.

— O senhor é, realmente, Páviel Pávlovitch Trussótzki? — proferiu afinal Vieltchâninov, perplexo.

— Nós nos conhecemos há uns nove anos em T... e, se me permite lembrar-lhe, fomos bastante amigos.

— Sim... admitamos... mas são três horas, e o senhor passou dez minutos contados tentando verificar se a minha porta estava trancada...

— Três horas! — exclamou o visitante, tirando o relógio do bolso, surpreso e até com certa amargura. — Exatamente: três horas! Perdão, Aleksiéi Ivânovitch, ao entrar eu devia ter compreendido; estou até envergonhado. Um dia destes eu voltarei e vou explicar-me; agora, porém...

— Ah, não! Se é questão de explicar-se, tenha a bondade de fazê-lo imediatamente! — lembrou-se de dizer Vieltchâninov. — Queira vir por aqui, atravesse a ombreira e venha

O eterno marido   33

para a sala. O senhor, naturalmente, pretendia entrar mesmo no apartamento, e não apareceu aqui de noite apenas para experimentar a fechadura...

Estava perturbado e, ao mesmo tempo, como que desconcertado, e sentia-se incapaz de concatenar as ideias. Teve até vergonha: nada de mistério, nada de perigo; de toda aquela fantasmagoria, sobrava apenas o tolo semblante de certo Páviel Pávlovitch. Aliás, não acreditava de nenhum modo que aquilo fosse tão simples; confusamente, pressentia algo, assustado. Tendo feito com que o visitante se acomodasse numa poltrona, sentou-se com impaciência no leito, a um passo dali, inclinou o corpo, apoiou as palmas das mãos nos joelhos e ficou esperando, com irritação, que o outro começasse a falar. Examinava-o com avidez e reunia as suas recordações. Mas, coisa estranha: o outro calava-se, parecendo não compreender de modo algum que tinha a "obrigação" de falar imediatamente; pelo contrário, dirigia ao dono da casa um olhar que parecia esperar algo. É possível que estivesse simplesmente intimidado, sentindo-se a princípio um tanto confuso, como um rato na ratoeira; Vieltchâninov, porém, ficou irritado.

— E então?! — exclamou. — O senhor, penso eu, não é uma fantasia, um sonho! Resolveu, acaso, brincar de defunto? Queira explicar-se, meu senhor!

O visitante agitou-se, sorriu e começou, cauteloso:

— Pelo que vejo, o senhor, em primeiro lugar, está até surpreendido pelo fato de eu ter vindo a uma hora tão avançada da noite e... em circunstâncias tão especiais... De modo que, lembrando tudo o que aconteceu, e a maneira como nos separamos, acho estranho, mesmo agora... Aliás, não tinha sequer a intenção de entrar aqui, e, se as coisas tomaram essa feição, foi sem querer...

— Como sem querer? Eu vi da janela que o senhor atravessou a rua correndo, na ponta dos pés!

— Ah, o senhor viu! Nesse caso, talvez saiba mais que eu a respeito de tudo isso! Mas vejo que só faço irritá-lo... Eis do que se trata: faz umas três semanas que vim para cá, a fim de tratar de um negócio... Sou Páviel Pávlovitch Trussótzki, o senhor mesmo me reconheceu muito bem. O caso consiste em que estou providenciando a minha transferência para outra província, para outro cargo, que deve corresponder a uma promoção considerável... Aliás, tudo isso não é bem o que eu queria dizer!... O principal, se deseja saber, está em que vai para três semanas que estou andando por seca e meca e, ao que parece, estou complicando o meu caso propositadamente, isto é, o caso da transferência, e, com efeito, mesmo que ela saia, serei bem capaz, no estado de ânimo em que me encontro, de esquecer que ela saiu e não deixar esta sua Petersburgo. Estou vagando, como se tivesse perdido o meu objetivo, e como se até me alegrasse por tê-lo perdido; no estado de espírito em que me encontro...

— Que estado de espírito? — Vieltchâninov estava ficando sombrio.

O visitante ergueu para ele os olhos, levantou o chapéu e, agora já com firme dignidade, indicou-lhe o crepe.

— Sim, aí tem o meu estado de espírito!

Vieltchâninov olhava, atônito, ora para o crepe ora para o rosto do visitante. De pronto, um rubor espraiou-se pela sua face e ele ficou terrivelmente perturbado.

— Será possível? Natália Vassílievna?!

— Exatamente! Natália Vassílievna! Em março deste ano... A tísica, e foi quase de repente, levou uns dois ou três meses! E eu fiquei, conforme está vendo!

Depois de dizer isto, o visitante, muito comovido, abriu os braços, o seu chapéu com crepe na mão esquerda, e a cabeça calva profundamente inclinada, e assim permaneceu pelo menos uns dez segundos.

Esta cena e este gesto como que reanimaram Vieltchâninov; um sorriso zombeteiro e mesmo provocante deslizou-lhe pelos lábios, mas por um instante apenas: a notícia da morte daquela senhora (que ele conhecera havia tanto tempo, mas que também havia muito esquecera) causou-lhe naquele momento uma impressão inesperadamente profunda.

— Será possível? — murmurou ele, dizendo as primeiras palavras que lhe acudiam à cabeça. — E por que o senhor não veio a minha casa, simplesmente, para me comunicar?

— Agradeço-lhe a simpatia, vejo e aprecio isso, embora...

— Embora...

— Embora tenhamos passado tantos anos separados, o senhor tomou, ainda há pouco, parte tão grande na minha aflição e me tratou também com tamanha simpatia, que eu, naturalmente, sinto gratidão. Pois bem, era somente isto que eu lhe queria comunicar. E não é que eu duvide dos meus amigos; mesmo aqui, mesmo agora, posso encontrar os amigos mais sinceros (pode-se tomar para exemplo Stiepan Mikháilovitch Bagaútov), mas as nossas relações, Aleksiéi Ivânovitch (talvez se possa dizer relações de amizade, pois é assim que, com gratidão, as lembro), foram interrompidas há nove anos, o senhor não voltou mais à nossa cidade; de parte a parte, não se escreveram cartas...

O visitante falava cantando, como se acompanhasse uma partitura, mas, durante todo o tempo em que se explicava, olhava para o chão, embora, naturalmente, visse também tudo o que se passava em torno. Mas o dono da casa também já tivera tempo de recobrar um pouco a presença de espírito.

Com sentimento bastante estranho, fixava cada vez mais o olhar e o ouvido em Páviel Pávlovitch e de repente, quando o outro parou de falar, os pensamentos mais vivos e inesperados acudiram-lhe à cabeça.

— Mas, por que foi que eu não o reconheci até hoje? — exclamou ele, animando-se. — Encontramo-nos ao certo umas cinco vezes, na rua!

— Sim, eu também me lembro disso; o senhor me aparecia sempre no caminho... umas duas vezes, talvez mesmo três...

— Quer dizer, *o senhor* é que aparecia *sempre* no meu caminho, e não eu no seu!

Vieltchâninov ergueu-se e, de chofre, riu alto e de modo absolutamente inesperado. Páviel Pávlovitch fez uma pausa, encarou-o, mas, imediatamente, prosseguiu:

— Quanto ao fato de não me haver reconhecido, isso pode ter-se dado, em primeiro lugar, porque talvez o senhor me tenha esquecido, e, em segundo, porque até varíola tive nesse tempo, e ela me deixou uns sinais no rosto.

— Varíola? Realmente, teve varíola! Mas, como foi que o senhor...

— Fui apanhado por ela. Quanta coisa não acontece, Aleksiéi Ivânovitch! Quando menos se espera, a casa cai!

— Mas, apesar de tudo, é muito engraçado. Bem, continue, continue... querido amigo!

— Embora eu também encontrasse o senhor...

— Espere! Por que o senhor disse, ainda há pouco, "a casa cai"? Eu gostaria de expressar-me com muito mais delicadeza. Bem, continue, continue!

Por algum motivo, estava ficando cada vez mais alegre. O sentimento profundo foi completamente substituído por algo diverso.

Caminhava pelo quarto a passos rápidos.

— Embora eu também encontrasse o senhor e, mesmo, ao vir para cá, para Petersburgo, tivesse a intenção de procurá-lo sem falta, estou, no momento, repito, num tal estado de espírito... e, mentalmente, tão aniquilado desde março...

— Ah, sim! Aniquilado desde o mês de março... Espere, o senhor não fuma?

— Sabe muito bem, diante de Natália Vassílievna...

— Sim, sim, sei; mas, a partir de março?

— De vez em quando, um cigarrinho.

— Aí está um cigarro; fume e... continue! Continue, o senhor me fez uma terrível...

E, tendo acendido um charuto, Vieltchâninov tornou a sentar-se apressadamente no leito. Páviel Pávlovitch fez uma pausa.

O eterno marido

37

— Mas como o senhor também está perturbado! Não estará doente?

— Ah, que vá para o diabo o que se refere à minha saúde! — enfureceu-se de repente Vieltchâninov. — Continue! Por seu turno, o visitante tornava-se cada vez mais satisfeito e seguro de si, apesar da perturbação do dono da casa.

— Mas, continuar para quê? — começou novamente. — Imagine, Aleksiéi Ivânovitch, em primeiro lugar, um homem liquidado, não liquidado simplesmente, mas, por assim dizer, de modo radical; um homem que, depois de vinte anos de matrimônio, modifica a sua vida e vagueia pelas ruas poeirentas, sem rumo, como se estivesse na estepe, quase inconsciente, e que encontra, até, certa volúpia nessa inconsciência. É natural que, depois de encontrar um conhecido ou, mesmo, um amigo de verdade, faça um rodeio, intencionalmente, para não chegar perto dele em semelhante momento — de inconsciência, quero dizer. Mas, noutros momentos, tudo é tão bem lembrado, tem-se uma tão grande vontade de ver ao menos alguma testemunha, algum participante daquele passado recente — mas desaparecido de modo irrevogável —, e o coração bate-nos com tanta força, que não somente de dia, mas também de noite, a pessoa arrisca-se a atirar-se nos braços de um amigo, mesmo que se torne preciso acordá-lo depois das três da manhã. Como vê, enganei-me apenas quanto à hora, mas não quanto à amizade; pois, neste momento, é bem grande a minha recompensa. E, quanto à hora, pensei realmente que fossem apenas onze e tanto, dada a minha boa disposição. A pessoa bebe a própria tristeza e como que se embriaga com ela. E até não é tristeza, mas um novo estado de espírito, que me fustiga neste momento...

— Mas que modo estranho de se expressar tem o senhor! — observou sobriamente Vieltchâninov, que, de súbito, ficou de novo muito sério.

— Sim, expresso-me realmente de modo estranho...

— Mas o senhor... não está brincando?

— Brincando? — exclamou Páviel Pávlovitch, dolorosamente surpreso. — Logo no momento em que lhe comunico...

— Ah, não fale mais nisso, peço-lhe!

Vieltchâninov ergueu-se e pôs-se novamente a caminhar pelo quarto.

Passaram-se assim uns cinco minutos. O visitante quis também levantar-se, mas Vieltchâninov gritou: "Fique sentado, fique sentado!" — e o outro, de imediato, deixou-se cair, obediente, na poltrona.

— Mas como o senhor mudou! — disse Vieltchâninov, estacando de chofre diante dele, como se ficasse de repente surpreendido com aquele pensamento. — Mudou terrivelmente! De modo incrível! É completamente outra pessoa!

— Não é para menos: nove anos.

— Não, não, não! Não se trata de idade! Quanto ao aspecto, o senhor até que não mudou tanto; houve uma transformação diferente!

— Sim, pode ser, sempre são nove anos.

— Ou de março para cá!

— Eh, eh! — Páviel Pávlovitch sorriu com malícia. — O senhor está com umas ideias engraçadas. Mas, ainda que mal pergunte: em que consiste exatamente essa mudança?

— Bem, francamente... antes, tratava-se de um Páviel Pávlovitch sério e digno, um Páviel Pávlovitch com discernimento; agora é um *vaurien*[4] completo!

Achava-se naquele grau de irritação em que mesmo as pessoas mais controladas começam às vezes a dizer inconveniências.

— *Vaurien*! O senhor acha? Eu não sou mais "pessoa de discernimento"? Não sou mesmo? — deliciava-se Páviel Pávlovitch com uma risadinha em "ih, ih!".

— E que diabo de "pessoa de discernimento" é o senhor?! Talvez seja até bem *inteligente*, agora.

---

[4] Em francês no original: "calhorda". (N. do T.)

"Sou insolente, mas esse canalha é ainda mais! E... e qual será o seu objetivo?" — continuava pensando Vieltchâninov. — Ah, meu caríssimo, ah, meu prezadíssimo Aleksiéi Ivânovitch! — disse o visitante, emocionando-se súbita e extraordinariamente e agitando-se na poltrona. — Que nos adianta isso? Não estamos agora em sociedade, numa sociedade elegante? Somos dois velhos e sinceros amigos, e, por assim dizer, reunimo-nos do modo mais franco, e lembramos juntos aquela corrente tão preciosa da nossa amizade, da qual a defunta constituía um elo tão querido!

A exaltação dos seus sentimentos parecia tão grande que ele baixou novamente a cabeça e escondeu o rosto no chapéu. Vieltchâninov examinava-o com repugnância e inquietação.

"Quem sabe, talvez não passe de um palhaço? — passou-lhe pela cabeça. — Mas na-ão, na-ão! Parece que não está embriagado; aliás, talvez esteja; tem o rosto vermelho. E mesmo que ele esteja bêbado, não faz diferença. Que estará planejando? O que pretende esse canalha?"

— Lembra-se? Lembra-se? — exclamava Páviel Pávlovitch, afastando pouco a pouco o chapéu, e parecendo cada vez mais absorto nas recordações. — Lembra-se das nossas excursões fora da cidade, das nossas tardes e noitadas com danças e jogos inocentes, em casa de Sua Excelência, o tão hospitaleiro Siemión Siemiônovitch? E as nossas leituras a três, à noitinha? E aquele nosso primeiro encontro, quando entrou em minha casa de manhã, para uma informação sobre um processo, e pôs-se até a gritar, e, de repente, entrou Natália Vassílievna e, dez minutos depois, o senhor já se tornara o melhor amigo da casa, por um ano inteiro, exatamente como em *A provinciana*, peça do senhor Turguêniev?...[5]

---

[5] Em *A provinciana* (1851), de Ivan Turguêniev, Dária Mikháilovna, jovem esposa de um funcionário entrado em anos, provoca intencionalmente a paixão de um conde recém-chegado ao lugar. (N. do T.)

Vieltchâninov caminhava lentamente, os olhos postos no chão, ouvia tudo com impaciência e asco, mas com extrema atenção.

— Não me passou sequer pela cabeça *A provinciana* — interrompeu ele, um tanto confuso. — E o senhor, antes, nunca falou com uma voz tão aguda e... nesse estilo, que não é seu. Para que isso?

— De fato, antigamente, eu passava mais tempo calado, isto é, era mais silencioso — replicou vivamente Páviel Pávlovitch. — O senhor sabe, eu gostava mais de ouvir, quando a defunta falava. O senhor se lembra da conversa dela, do seu espírito... Quanto à *Provinciana* e, particularmente, quanto a Stupiêndiev, também nisso o senhor tem razão, porque, ao nos lembrarmos do senhor — eu e a inestimável defunta — em certos momentos tranquilos, depois de sua partida, comparávamos o nosso primeiro encontro com essa peça teatral... pois, de fato, foi parecido. E, particularmente, quanto a Stupiêndiev...

— Que diabo de Stupiêndiev?! — gritou Vieltchâninov, e até bateu o pé, inteiramente perturbado ao ouvir o nome de "Stupiêndiev", devido a certa recordação inquietante que ele despertava.

— Stupiêndiev é um personagem, um personagem teatral, o marido na peça *A provinciana* — disse Páviel Pávlovitch, com uma vozinha bem doce e aguda. — Mas isto já se refere a outra categoria das nossas belas e queridas recordações, a um período posterior à sua partida, quando Stiepan Mikháilovitch Bagaútov nos beneficiou com a sua amizade, exatamente como o senhor, mas durante cinco longos anos.

— Bagaútov? Quem? Qual Bagaútov?

Vieltchâninov deteve-se de repente, como que petrificado.

— Bagaútov, Stiepan Mikháilovitch, que nos premiou com a sua amizade, exatamente um ano depois do senhor e... de modo semelhante.

— Ah, meu Deus, bem que eu sabia! — exclamou Vieltchâninov, compreendendo finalmente. — Bagaútov! Era funcionário na sua cidade...

— Foi, sim! Adido ao governador! Era de Petersburgo, da mais alta sociedade, um moço elegantíssimo! — foi exclamando Páviel Pávlovitch, num verdadeiro transporte de entusiasmo.

— Sim, sim, sim! E eu, então?! Quer dizer que ele também...

— E ele também, e ele também! — repetiu Páviel Pávlovitch, com o mesmo entusiasmo, apanhando no ar a palavra imprudente do dono da casa. — Também ele! E foi então que representamos *A provinciana*, num teatro de amadores, em casa de Sua Excelência, o tão hospitaleiro Siemión Siemiônovitch; Stiepan Mikháilovitch fazia o papel do conde, eu, o do marido, e a defunta era a provinciana. Mas, depois, tiraram-me do papel de marido, por insistência da defunta, de modo que não cheguei a representá-lo, parece que por incompetência...

— Mas que diabo de Stupiêndiev é o senhor! O senhor, em primeiro lugar, é Páviel Pávlovitch Trussótzki, e não Stupiêndiev! — disse Vieltchâninov, grosseiramente, sem cerimônia, quase tremendo de irritação. — Mas, com licença, esse Bagaútov está aqui em Petersburgo. Eu mesmo o vi, na primavera! Por que não vai à casa dele também?

— Vou lá todos os dias, há três semanas já. Não recebe! Dizem que está doente e não pode receber! E imagine, soube-o das melhores fontes, está de fato bem doente, em perigo de vida! Um amigo de seis anos! Ah, meu Aleksiéi Ivânovitch, digo-lhe e repito que, em semelhante disposição, a gente às vezes tem realmente vontade de sumir pela terra adentro; noutros momentos, parece, seríamos capazes de abraçar alguém sem cerimônia, sobretudo alguma dessas, por assim dizer, antigas testemunhas, algum desses cúmplices, e unicamente para chorar em sua companhia, isto é, para mais nada, absolutamente, a não ser chorar!...

Fiódor Dostoiévski

— Vejamos, parece que por hoje basta, não? — interrompeu-o abruptamente Vieltchâninov.

— Se basta! Se basta! — Páviel Pávlovitch imediatamente se levantou. — São quatro horas e, sobretudo, incomodei-o tão egoisticamente...

— Ouça, eu mesmo irei sem falta à sua casa e, então, espero... Diga-me a verdade, com toda a franqueza: o senhor não está embriagado hoje?

— Bêbado? Absolutamente...

— Não bebeu antes de vir para cá, ou antes ainda?

— Ora, Aleksiéi Ivânovitch, o senhor está febril.

— Amanhã mesmo irei à sua casa, antes da uma...

— Há bastante tempo estou observando que o senhor como que delira — interrompeu-o Páviel Pávlovitch, deliciado e insistindo no assunto. — Realmente, estou tão envergonhado porque, com a minha falta de jeito... Mas eu já vou, já vou! E o senhor deite-se e durma!

— Mas ainda não me disse onde mora — gritou-lhe Vieltchâninov, lembrando-se desse fato.

— Não disse? No hotel Pokróvski...

— Que hotel é esse?

— Pertinho da igreja de Pokróv, numa viela; esqueci o nome dessa viela e o número da casa, mas fica pertinho da igreja...

— Acabarei encontrando!

— Será muito bem-vindo.

Páviel Pávlovitch ia saindo já para a escada.

— Espere! — gritou-lhe novamente Vieltchâninov. — O senhor não vai fugir?

— Como assim: "fugir"? — e Páviel Pávlovitch arregalou os olhos, voltando-se e sorrindo, no terceiro degrau da escada.

Em lugar da resposta, Vieltchâninov bateu ruidosamente a porta, fechou-a meticulosamente à chave e fez correr a tranqueta. Voltando ao quarto, cuspiu, como se algo o tivesse sujado.

O eterno marido

Depois de permanecer por uns cinco minutos imóvel, no meio do quarto, atirou-se na cama, sem se despir, e adormeceu imediatamente. A vela, esquecida por ele sobre a mesa, acabou por consumir-se.

4.
A MULHER, O MARIDO E O AMANTE

Dormiu profundamente e acordou às nove e meia em ponto; ergueu-se num instante, sentou-se na cama e logo se pôs a pensar na morte "daquela mulher".

O abalo que sofrera na véspera, com a brusca notícia daquela morte, deixara nele certa perturbação e, mesmo, sofrimento. Essa perturbação e sofrimento foram apenas abafados por algum tempo, na véspera, por uma ideia estranha, em presença de Páviel Pávlovitch. Mas agora, ao acordar, tudo o que acontecera nove anos atrás apresentou-se de súbito com extraordinária nitidez.

Aquela mulher, a falecida Natália Vassílievna, esposa "desse Trussótzki", fora por ele amada e tornara-se sua amante, quando ele passara em T... um ano completo, tratando de um caso (relacionado também com um processo de herança), embora, a bem dizer, o referido caso não exigisse uma permanência tão prolongada naquela cidade; o verdadeiro motivo era a ligação. Essa ligação e esse amor dominaram-no com tamanha intensidade que ele se tornara como que escravo de Natália Vassílievna e, certamente, ter-se-ia até decidido a praticar algo bem monstruoso e insensato para satisfazer o menor capricho daquela mulher. Nada de semelhante lhe acontecera antes ou depois disso. No fim do ano, quando a separação já se tornara inevitável, Vieltchâninov estava tão desesperado com a aproximação do prazo fatal — embora se previsse uma separação por bem pouco tempo — que propôs a Natália Vassílievna raptá-la, levá-la para longe do marido e partir com ela para o estrangeiro, de uma vez para sempre. Somente as

O eterno marido   45

zombarias e a firmeza daquela senhora (que, de início, aprovara inteiramente o plano, mas provavelmente por desfastio ou para se divertir) puderam demovê-lo desse propósito e obrigá-lo a partir sozinho. E então? Mal decorridos dois meses após a separação, e já em Petersburgo, ele formulava para si mesmo a pergunta a que jamais conseguiria responder: amara realmente aquela mulher, ou tudo aquilo fora simples "alucinação"? E não foi de modo algum por leviandade, nem sob a influência de uma nova paixão nascente, que essa pergunta surgiu nele: nesses primeiros dois meses em Petersburgo, vivera numa espécie de frenesi e provavelmente não chegara a notar uma mulher sequer, embora passasse imediatamente a frequentar a mesma sociedade que antes e tivesse encontrado uma centena de mulheres. Aliás, sabia muito bem que, se se visse novamente em T..., cairia de imediato sob o encanto subjugador daquela mulher, apesar de todas as perguntas que lhe vinham à mente. Cinco anos depois, tinha ainda a mesma convicção. Mas, nessa época, ele já confessava isto a si próprio com indignação, e a lembrança "daquela mulher" até lhe provocava ódio. Envergonhava-se do ano que passara em T...; não podia compreender sequer como ele, Vieltchâninov, fora capaz de uma paixão assim "estúpida"! E todas as recordações dessa paixão transformaram-se, para ele, em ignomínia; corava até as lágrimas e torturava-se com problemas de consciência. É verdade que, passados mais alguns anos, já estava mais calmo. Fez força para esquecer tudo, e quase o conseguiu. E eis que de repente, nove anos depois do ocorrido, tudo aquilo ressuscitava nele de chofre e de modo estranho, com a notícia da morte de Natália Vassílievna.

Agora, sentado no leito, presa de pensamentos confusos, que se aglomeravam em desordem em sua cabeça, ele apenas sentia e tinha consciência nítida do seguinte: que, apesar de todo o "abalo" da véspera, ao receber aquela notícia, apesar de tudo, ele estava muito tranquilo com referência ao fato de que ela tivesse morrido. "Será possível que não a lamente sequer?" — perguntava a si mesmo. É verdade que não sentia mais ódio por ela, e podia julgá-la de modo mais justo e desapaixonado. Na opinião dele, que há muito se formara no decorrer daquela separação de nove anos, Natália Vassílievna pertencia ao número das senhoras provincianas mais comuns, da "boa" sociedade provinciana. "Quem sabe? Talvez a realidade fosse essa mesma, e eu apenas tenha engendrado uma ideia fantástica a seu respeito." Aliás, desconfiara sempre de que pudesse haver um erro naquela opinião. Aquele Bagaútov mantivera também uma ligação com ela, por alguns anos, segundo parecia, e também "sob o seu feitiço". Bagaútov era realmente um moço da melhor sociedade de Petersburgo e, na qualidade de "homem muito fútil" (como dizia a seu respeito Vieltchâninov), só podia fazer carreira em Petersburgo. Mas eis que ele pôs tudo isso de lado, isto é, desdenhou a sua vantagem máxima, e perdeu cinco anos em T..., unicamente por causa daquela mulher! E acabara voltando a Petersburgo, provavelmente porque também ele fora jogado fora, como "um sapato velho e gasto". Havia, por conseguinte, naquela mulher algo extraordinário — o dom de atrair, escravizar e dominar!

Contudo, parecia não ter sequer os meios de atrair e escravizar: "nem era tão bonita assim, e talvez fosse simplesmente feia". Tinha já vinte e oito anos quando Vieltchâninov a conhecera. O rosto, não muito bonito, podia adquirir, às vezes, uma vivacidade agradável, mas os olhos eram feios: havia em seu olhar certa firmeza exagerada. Era muito magra e de instrução precária. Sua inteligência, indiscutível e aguda, era quase sempre unilateral. As maneiras revelavam uma senhora provinciana, acompanhadas, é verdade, de muito tato. O gosto, apurado, manifestava-se de preferência no modo de vestir. Uma personalidade resoluta e dominadora; não se podia resolver com ela uma questão pela metade: "tudo ou nada". Nas situações difíceis, eram surpreendentes a sua firmeza e perseverança. Tinha o dom da generosidade e, quase sempre,

O eterno marido

a par disso, uma extrema injustiça. Era impossível discutir com aquela senhora: duas vezes dois nunca significava nada para ela. Jamais se julgava injusta ou culpada de algo. As constantes e inumeráveis traições ao marido não faziam nenhum peso em sua consciência. Segundo a comparação do próprio Vieltchâninov, era como as "Virgens Marias" dos *khlisti*,[6] que, no mais alto grau, acreditavam ser realmente a Virgem Maria. Também Natália Vassílievna acreditava, no mais alto grau, em cada um dos seus atos. Era fiel a cada um dos seus amantes, aliás apenas até se enfastiar dele. Gostava de atormentá-los, mas também de lhes dar a compensação. Era uma natureza apaixonada, cruel e sensual. Detestava a depravação, condenava-a com inaudita ferocidade e... ela própria era depravada. Nenhum fato poderia jamais levá-la a admitir a sua própria depravação. "Certamente, e *com sinceridade*, não sabe isso" — pensava a seu respeito Vieltchâninov, ainda em T... (participando ele próprio, diga-se de passagem, das suas depravações). "É uma dessas mulheres — pensava — que parecem ter nascido unicamente para serem esposas infiéis. Tais mulheres nunca dão um mau passo quando solteiras: para isso, é lei da sua natureza estarem indispensavelmente casadas. O marido é o primeiro amante, mas depois do casamento, nunca antes. Ninguém se casa com mais habilidade, nem mais facilmente que elas. O marido é sempre culpado pelo primeiro amante. E tudo acontece com a máxima sinceridade; elas se consideram, até o fim, justas no mais alto grau e, está claro, de todo inocentes."

---

[6] A seita dos *khlisti*, ou *khlistóvschina* (corruptela de *khristóvschina*, o que se relaciona com Cristo), surgiu na Rússia na segunda metade do século XVII, existindo até aproximadamente 1860. O dogma principal da seita consistia na reencarnação sucessiva de Jesus Cristo. Um camponês que se dizia a última encarnação de Jesus viajava comumente pelas aldeias, acompanhado de uma mulher, que se dizia Virgem Maria. Havia também doze apóstolos e grande número de "profetas" e "profetizas", os verdadeiros sacerdotes da seita. (N. do T.)

Vieltchâninov estava convencido de que realmente existia esse tipo de mulher; mas tinha também certeza de que existia um tipo de marido correspondente ao dessas mulheres, marido cuja única destinação seria a de corresponder a esse tipo feminino. A seu ver, o caráter essencial de semelhantes maridos consistia em serem, por assim dizer, "eternos maridos", ou, dizendo melhor, em serem, na vida, *unicamente* maridos e mais nada. "Um homem dessa espécie nasce e cresce tão somente para se casar e, após o matrimônio, tornar-se de imediato um complemento da esposa, mesmo que possua indiscutivelmente personalidade própria. O principal indício de semelhante marido é certo ornamento. Ele não pode deixar de ser portador de chifres, como o sol não pode deixar de iluminar; e ele não só ignora o fato: de acordo com as próprias leis da natureza, deve ignorá-lo." Vieltchâninov acreditava firmemente que esses dois tipos existiam, e que Páviel Pávlovitch Trussótzki era o representante consumado de um deles em T...
O Páviel Pávlovitch da véspera não era evidentemente o mesmo que ele conhecera em T... Vieltchâninov achava que ele havia mudado até de modo inconcebível, mas percebia que não podia deixar de ser assim, e que tudo aquilo era perfeitamente natural; o senhor Trussótzki pudera ser tudo o que fora unicamente em vida da mulher; agora ele era apenas a parte de um todo posta de súbito em liberdade, isto é, algo surpreendente, e que não se parecia com nada.

No que se refere ao Páviel Pávlovitch de T..., eis o que Vieltchâninov lembrava dele, e que agora lhe ocorria:

Naturalmente, Páviel Pávlovitch, em T..., era apenas marido e mais nada. Se, por exemplo, além disso, era ainda funcionário público, isto se dava unicamente porque o próprio serviço na repartição tornava-se também, para ele, por assim dizer, uma das obrigações do seu matrimônio; era funcionário por causa da esposa e da sua posição social em T..., embora não deixasse de cumprir as obrigações com muito zelo. Tinha então trinta e cinco anos e possuía alguma fortuna, que não era, até, de todo desprezível. No serviço, não revelava nenhuma capacidade especial, embora também não desse mostras de incapacidade. Era relacionado com a melhor sociedade local e muito considerado. Natália Vassílievna gozava de grande estima em T...; aliás, ela não dava ao fato muita importância, considerando-o como algo que lhe fosse devido, mas sempre sabia receber muito bem, e dera, nesse sentido, tão boas lições a Páviel Pávlovitch, que este conseguia ter maneiras distintas, mesmo durante uma recepção às mais altas autoridades da província. Talvez (era a impressão de Vieltchâninov) ele fosse até inteligente; mas, como Natália Vassílievna não gostasse de ver o marido mostrar-se loquaz, não se tinha oportunidade de constatar nele grande inteligência. É possível, ainda, que tivesse muitas qualidades inatas, a par dos defeitos. As primeiras estavam como que revestidas de um impermeável; quanto às más tendências, permaneciam quase inteiramente abafadas. Vieltchâninov lembrava-se, por exemplo, de que em Trussótzki despontava, às vezes, uma vontade de caçoar do próximo; isto, porém, lhe era severamente proibido. Noutros momentos, gostava, também, de contar algo; mas isso igualmente era fiscalizado; permitia-se que contasse um caso, mas apenas bem insignificante e do modo mais curto. Apreciava reunir-se com amigos fora de casa e, mesmo, beber com algum deles; mas este último hábito fora extirpado pela raiz. Ao mesmo tempo, havia a seguinte particularidade: nenhuma pessoa alheia poderia dizer que ele vivia sob o chinelo da mulher; Natália Vassílievna parecia uma esposa bem obediente, e é possível que estivesse até convencida disso. Provavelmente, Páviel Pávlovitch amava-a até a loucura; mas ninguém conseguia notá-lo, e pode ser que isto fosse mesmo impossível, devido também a uma determinação doméstica da própria Natália Vassílievna. Vieltchâninov perguntara a si mesmo, algumas vezes, no decorrer de sua permanência em T...: desconfiaria aquele marido, ao menos um pouco, da sua ligação com a esposa? Perguntara-o algumas ve-

Fiódor Dostoiévski

zes, seriamente, a Natália Vassílievna, recebendo sempre a resposta, expressa com algum despeito, de que o marido não sabia de nada e nunca poderia vir a sabê-lo, e "tudo o que se passa não é absolutamente da conta dele". Outra particularidade de Natália Vassílievna: nunca ria de Páviel Pávlovitch e nunca o achava ridículo em nada, nem muito ruim, e até o defendia com calor quando alguém ousava cometer qualquer indelicadeza com relação a ele. Não tendo filhos, ela devia se transformar, natural e preferentemente, numa dama da sociedade; mas o lar era-lhe também indispensável. Os prazeres mundanos nunca a dominavam inteiramente, e, em casa, gostava muito de ocupar-se dos afazeres domésticos e de trabalhos manuais. Páviel Pávlovitch lembrara, na véspera, as suas leituras em comum, à noitinha; acontecia assim: ora lia Vieltchâninov, ora Páviel Pávlovitch; este, para grande surpresa do primeiro, lia muito bem em voz alta. Enquanto isso, Natália Vassílievna fazia algum bordado e ouvia a leitura, sempre tranquila e atenta. Liam-se romances de Dickens, revistas russas e, às vezes, algo "sério". Natália Vassílievna tinha em alta conta a cultura de Vieltchâninov, mas apreciava-a em silêncio, como um caso resolvido e terminado, e do qual não se precisasse mais falar; de modo geral, porém, tratava com indiferença tudo o que se relacionasse com livros e estudos, como algo absolutamente estranho, embora útil, talvez. Mas Páviel Pávlovitch falava disso às vezes com certa paixão.

Aquela ligação terminou de modo brusco, exatamente na época em que atingira, por parte de Vieltchâninov, o apogeu, quase a loucura. Foi simplesmente mandado embora, se bem que tudo tivesse sido arranjado de modo que ele não percebesse ter sido jogado fora "como um velho sapato inútil". Cerca de um mês e meio antes da sua partida, aparecera em T... um jovem oficialzinho de artilharia, recém-formado, e que passara a visitar os Trussótzki; em lugar de três, já eram quatro. Natália Vassílievna recebeu o rapaz com benevolência, mas tratava-o como criança. Vieltchâninov não desconfiava

O eterno marido

51

de nada; outro assunto preocupava-o então, pois recebera a notícia de que deviam separar-se. Uma das centenas de razões apresentadas por Natália Vassílievna para a sua partida imediata e indispensável era que julgava estar grávida. Por conseguinte ele devia, impreterivelmente, desaparecer por uns três ou quatro meses, pelo menos, a fim de que, nove meses depois, fosse mais difícil ao marido suspeitar de algo, mesmo que surgisse alguma calúnia. O argumento era bastante forçado. Depois da tempestuosa proposta no sentido de uma fuga para Paris ou para a América, Vieltchâninov partiu sozinho para Petersburgo, "sem dúvida, por um instantinho apenas", isto é, por três meses, não mais; de outro modo, ele não partiria por nada deste mundo, por mais razões e argumentos que lhe fossem apresentados. Exatamente dois meses depois, recebeu em Petersburgo uma carta de Natália Vassílievna, que lhe pedia não voltasse nunca mais, porque ela já amava outro homem; e, quanto à gravidez, informava que fora um engano. A explicação era supérflua; tudo estava claro, agora, para Vieltchâninov: lembrava-se do oficialzinho. E assim o caso terminara para sempre. Ouvira dizer, alguns anos depois, que Bagaútov passara cinco anos contados naquela cidade. Explicou a si mesmo a duração anormal daquela ligação, entre outros, pelo fato de que Natália Vassílievna certamente envelhecera muito, e por isso passara também a ter mais apego às pessoas.

Passou quase uma hora sentado em seu leito. Por fim, dando acordo de si, tocou a campainha e pediu café a Mavra; tomou-o às pressas, vestiu-se e, às onze em ponto, foi para as proximidades da igreja de Pokróv, a fim de procurar o hotel Pokróvski. A este respeito tivera, de manhã, uma nova ideia. Ademais, sentia até algum remorso por causa do modo como tratara Páviel Pávlovitch na véspera, e era preciso resolver tudo agora.

Explicava a si mesmo que toda a fantasmagoria da véspera, com aquela história da fechadura, era simples obra do acaso, do estado de embriaguez de Páviel Pávlovitch e talvez de algo mais; mas, na realidade, ele não sabia muito bem para que ia agora travar novas relações com aquele ex-marido, quando tudo terminara tão naturalmente entre eles. Algo o arrastava; experimentara uma certa impressão peculiar, e, em consequência disso, era levado...

5.
LISA[7]

Páviel Pávlovitch nem pensava em "fugir", e sabe Deus por que Vieltchâninov lhe fizera na véspera essa pergunta; devia ter o espírito perturbado. À primeira indagação, numa loja de quinquilharias junto à igreja de Pokróv, indicaram-lhe o hotel Pokróvski, a dois passos dali, numa viela. No hotel, explicaram-lhe que o senhor Trussótzki "instalara-se" num pavilhão, no fundo do pátio, onde Mária Sissóievna alugava quartos mobiliados. Subindo ao segundo andar, onde eles se situavam, pela escada de pedra, estreita, molhada e muito suja, ouviu de repente um choro. Segundo parecia, de uma criança de sete ou oito anos; era um pranto pesado. Ouviam-se soluços que alguém procurava abafar, mas que irrompiam; ao mesmo tempo, um bater de pés e gritos, igualmente abafados, ainda que furiosos, em falsete rouquenho, mas de um adulto. Esse adulto, parecia, procurava acalmar a criança e não queria que seu choro fosse ouvido, mas fazia mais barulho ainda. Os gritos eram desapiedados, e a criança parecia implorar perdão. Penetrando num pequeno corredor, de cada lado do qual havia duas portas, Vieltchâninov encontrou uma mulheraça gorda e alta, despenteada, num à vontade caseiro; interrogou-a sobre Páviel Pávlovitch. Ela apontou para a porta atrás da qual se ouvia o choro. O rosto gordo e rubicundo da mulheraça quarentona expressava certa indignação.

---

[7] Diminutivo de Ielisavieta (Elisabete). (N. do T.)

O eterno marido

— Veja como se diverte! — disse num tom grave, a meia-voz, e foi para a escada.

Vieltchâninov pensou, a princípio, em bater na porta, mas, mudando de ideia, abriu-a, simplesmente. No meio de um quarto não muito grande, mobiliado grosseira mas profusamente, com móveis de rústica pintura, estava parado Páviel Pávlovitch, semivestido apenas, sem redingote e sem colete; irritado, de rosto vermelho, procurava fazer calar — por meio de gritos, gestos e talvez mesmo (foi o que pareceu a Vieltchâninov) de pancadas — uma garota de uns oito anos, pobremente trajada, muito embora como uma mocinha; com um vestido curto de lã preta. Ela parecia, realmente, numa crise de histeria: soluçava nervosamente e estendia os braços para Páviel Pávlovitch, como se quisesse envolvê-lo, abraçá-lo, implorar-lhe algo. Num instante, tudo se transformou: percebendo o visitante, a menina soltou um grito e lançou-se como uma flecha para o minúsculo quartinho ao lado, e Páviel Pávlovitch, depois de um momento de perplexidade, derreteu-se, no mesmo instante, num sorriso, exatamente como na véspera, quando Vieltchâninov abrira de repente a porta de seu apartamento.

— Aleksiéi Ivânovitch! — exclamou, profundamente surpreso. — De nenhum modo podia esperar... mas sente-se aí, aí! No sofá, ou então na poltrona, enquanto eu... — E correu a vestir o redingote, sem se lembrar de pôr antes o colete.

— Não faça cerimônia, fique como está — disse Vieltchâninov, sentando-se numa cadeira.

— Não, permita-me fazer um pouco de cerimônia; agora, já estou mais decente. Mas, por que se sentou aí no canto? Venha para cá, sente-se na poltrona, perto da mesa... Bem, não esperava, não esperava!

Sentou-se também na beirada de uma cadeira de palhinha, mas não ao lado do "inesperado" visitante; ao contrário, colocou a cadeira de quina, de modo a ficar mais de frente para Vieltchâninov.

— Como, não esperava? Ontem marquei claramente a minha vinda, hoje, a estas horas!

— Julguei que não viesse; e quando, ao acordar, pensei em tudo o que aconteceu ontem, desesperei completamente de tornar a vê-lo, ainda que fosse uma só vez. Nesse ínterim, Vieltchâninov examinou o quarto. Estava em desordem, a cama não fora arrumada e, por todos os lados, havia peças de roupa jogadas; sobre a mesa, copos com restos de café, migalhas de pão e uma garrafa de champanhe, desarrolhada e pela metade, com um copo ao lado. Lançou um olhar de viés para o quarto vizinho, mas ali tudo era silêncio; a menina mantinha-se imóvel, como que petrificada.

— Será possível que beba isso agora? — Vieltchâninov indicou o champanhe.

— São restos... — disse Páviel Pávlovitch, confuso.

— Mas como o senhor mudou!

— Esses maus hábitos vieram-me de repente. Daquele tempo para cá, é verdade! Não consigo conter-me. Não se preocupe agora, Aleksiéi Ivânovitch, não estou bêbado e não vou desfiar asneiras, como ontem, em sua casa. Mas é o que estou lhe dizendo: tudo isto foi de então para cá! E se alguém me dissesse, ainda há meio ano, que eu de repente ficaria tão abalado como estou agora, se alguém me fizesse ver a minha própria imagem no espelho, eu não acreditaria!

— Quer dizer que estava bêbado, ontem?

— Estava — confessou Páviel Pávlovitch a meia-voz, confuso, baixando os olhos. — E veja bem: não é que estivesse bêbado, mas estive pouco antes. Quero explicar isto: passada a bebedeira, sinto-me ainda pior. A embriaguez, então, quase não existe mais, mas em mim continua não sei que crueldade e demência, e eu sinto com mais força a minha aflição. Nessas ocasiões, posso dizer muitas asneiras e ofender alguém. Devo ter-lhe parecido muito estranho ontem, não?

— Acaso não se lembra?

— Como não? Lembro-me de tudo...

— Escute, Páviel Pávlovitch, foi exatamente assim que pensei e que expliquei a mim mesmo — disse Vieltchâninov, apaziguador. — Ademais, eu mesmo fui, ontem, em relação ao senhor, um tanto irritadiço e... muito impaciente, o que eu confesso de bom grado. Às vezes, não me sinto muito bem, e a sua vinda inesperada, de noite...

— Sim, de noite, de noite! — Páviel Pávlovitch balançou a cabeça, como que surpreendido e censurando-se. — O que me teria impelido a ir lá?! Eu não entraria, por nada, em seu apartamento, se o senhor mesmo não abrisse a porta. Teria ido embora. Uma semana atrás, mais ou menos, fui a sua casa, Aleksiéi Ivânovitch, e não o encontrei, e é bem possível que talvez nunca mais tornasse lá. Apesar de tudo, sou também um pouco orgulhoso, Aleksiéi Ivânovitch, embora tenha consciência da minha... de semelhante condição. Já nos encontramos também na rua, mas, cada vez, eu pensava: "E se ele não me reconhecer? E se virar o rosto? Nove anos não são brincadeira" — e não ousava aproximar-me. Mas, ontem, vinha-me arrastando de um arrabalde, e esquecera completamente a hora. Tudo vem disso (indicou a garrafa) e dos sentimentos. É estúpido! Muito estúpido! E se fosse outra pessoa, diferente do senhor — pois, tendo lembrado os tempos passados, veio a minha casa, mesmo depois do que aconteceu ontem —, eu teria até perdido a esperança de reatar as nossas relações.

Vieltchâninov ouvia com atenção. Aquele homem parecia falar sinceramente e, mesmo, com certa dignidade; todavia, ele não acreditava em nada desde o momento em que entrara ali.

— Diga-me, Páviel Pávlovitch, parece-me que o senhor não está sozinho aqui, não é verdade? De quem é essa menina que eu vi há pouco?

Páviel Pávlovitch ficou surpreendido e ergueu as sobrancelhas, mas olhou para Vieltchâninov de modo límpido e agradável.

— De quem é essa menina? Mas é Lisa! — replicou, com um sorriso afável.

— Que Lisa? — balbuciou Vieltchâninov, e algo como que estremeceu dentro dele. A impressão era por demais inesperada. Ainda há pouco, quando entrara ali, ficara surpreso ao ver Lisa, mas não lhe ocorrera nenhum pressentimento, nenhum pensamento especial.

— Mas é a nossa Lisa, nossa filha! — sorria Páviel Pávlovitch.

— Que filha? Então, o senhor e Natália... quero dizer, teve filhos com a falecida Natália Vassílievna? — perguntou Vieltchâninov, com desconfiança e timidez, a voz muito abafada.

— Como não? Mas, meu Deus, realmente, como podia o senhor saber? Onde estou com a cabeça?! Foi depois que o senhor partiu que Deus nos mandou esta filha!

Páviel Pávlovitch chegou a dar um pulo da cadeira, como que movido por certa perturbação, aliás, quase agradável.

— Não soube de nada — disse Vieltchâninov e... empalideceu.

— Com efeito, com efeito, quem lhe poderia dizer isso?! — repetiu Páviel Pávlovitch, com voz abafada e comovida. — A defunta e eu tínhamos até perdido a esperança, o senhor mesmo está lembrado, e, de repente, Deus nos abençoou, e o que aconteceu então comigo... Ele é o único a sabê-lo! Foi, parece-me, exatamente um ano depois que o senhor partiu! Ou, melhor, não, não foi um ano depois, bem menos, espere: se a memória não me engana, foi em outubro ou, mesmo, em novembro que o senhor partiu da nossa cidade?

— Deixei T... no começo de setembro, doze de setembro; estou bem lembrado...

— Foi em setembro, então? Hum... E eu que julgava... — Páviel Pávlovitch ficou muito surpreendido. — Bem, se é assim, espere um instante: o senhor partiu em doze de setembro e Lisa nasceu em oito de maio. Temos, portanto, setembro, outubro, novembro, dezembro, janeiro, fevereiro, março,

O eterno marido

abril; foram, pois, oito meses e pico, aí está! E se o senhor, ao menos, soubesse como a falecida...

— Mostre-me a menina... chame-a aqui... — murmurou Vieltchâninov com voz entrecortada.

— Pois não! — afanou-se Páviel Pávlovitch, interrompendo no mesmo instante o que pretendia dizer, como se fosse absolutamente desnecessário. — Agora, vou apresentá-la! Agora mesmo! — e foi apressadamente ao quarto de Lisa.

Passaram-se talvez três ou quatro minutos; no pequeno cômodo, houve cochichos precipitados; percebia-se a voz abafada de Lisa. "Está pedindo que não a obrigue a sair" — pensou Vieltchâninov. Finalmente, apareceram.

— Aí está ela, sempre acanhada — disse Páviel Pávlovitch.

— Tem vergonha, é orgulhosa... o retrato vivo da falecida!

Lisa não chorava mais e tinha os olhos baixos; o pai conduzia-a pela mão. Era uma menina alta, magricela, bem bonitinha. Ergueu rapidamente para o visitante os seus grandes olhos azuis-claros, olhou-o com curiosidade, mas com expressão sombria, e imediatamente baixou-os de novo. Havia em seu olhar aquela gravidade das crianças que, quando ficam a sós com um desconhecido, vão para um canto e de lá espiam gravemente e com desconfiança para o hóspede nunca visto antes. Mas talvez houvesse um outro pensamento ainda naquele olhar, um pensamento que nada tinha de infantil, segundo pareceu a Vieltchâninov. O pai conduziu-a para bem junto dele.

— Vê, esse titio conheceu mamãe noutros tempos, foi nosso amigo, não tenhas medo, dá-lhe a mão.

A menina inclinou-se ligeiramente e estendeu a mão com timidez.

— Natália Vassílievna não quis ensiná-la a fazer reverências, mas apenas a inclinar levemente a cabeça e estender a mão, à inglesa — acrescentou ele, à guisa de explicação, dirigindo-se a Vieltchâninov, ao mesmo tempo que o observava atentamente.

Vieltchâninov sabia que ele o observava, mas não se preocupava mais, de modo algum, em ocultar a sua perturbação; estava sentado, sem se mexer na cadeira; segurava a mão de Lisa e olhava fixamente a criança. Mas Lisa parecia muito preocupada com algo e, esquecendo a sua mão na do visitante, não tirava os olhos do pai. Prestava atenção, assustada, a tudo o que ele dizia. Vieltchâninov reconheceu num instante aqueles grandes olhos azuis-claros, mas ficou muito impressionado com a alvura surpreendente, delicada ao extremo, do rosto, e com a cor do cabelo; esses sinais eram-lhe demasiadamente significativos. O oval do rosto e a curvatura dos lábios, ao contrário, lembravam violentamente Natália Vassílievna. No entanto, havia muito que Páviel Pávlovitch começara a contar algo e, parecia, com um calor e sentimento inauditos, mas Vieltchâninov nem sequer o ouvia. Captou apenas a última frase:

— ... de modo que o senhor, Aleksiéi Ivânovitch, não pode mesmo imaginar a nossa alegria com essa dádiva do Senhor! Desde que chegou, ela representou tudo para mim. E mesmo que — pensava eu —, por vontade divina, se desfizesse a minha tranquila felicidade, restar-me-ia Lisa; disso, pelo menos, eu estava plenamente convicto!

— E Natália Vassílievna? — perguntou Vieltchâninov.

— Natália Vassílievna? — Páviel Pávlovitch fez uma careta. — O senhor conheceu-a muito bem, e está lembrado de que não gostava muito de expressar os seus sentimentos. Mas como se despediu dela, em seu leito de morte... Naquele momento é que apareceu tudo! Acabo de dizer: "em seu leito de morte"; e no entanto, de súbito, na véspera já do falecimento, tornou-se agitada, zangou-se. Dizia que estavam querendo saturá-la com aqueles remédios, e que tinha apenas uma febre sem importância; que ambos os nossos médicos não compreendiam nada, e que, quando Koch (está lembrado? — o nosso médico militar, um velhote) voltasse à cidade, ela se levantaria da cama em duas semanas! E mais: cinco horas

O eterno marido

apenas antes do passamento, lembrou-se de que seria indispensável ir visitar, daí a três semanas, uma tia sua, madrinha de Lisa, e que fazia anos...

Vieltchâninov ergueu-se de repente da cadeira, sempre segurando a mãozinha de Lisa. Pareceu-lhe, então, haver um quê de censura no olhar ardente da menina, fixo no pai.

— Ela não está doente? — perguntou ele de modo precipitado e estranho.

— Parece que não, mas... mas a nossa vida aqui tomou um sentido tal... — disse Páviel Pávlovitch, com amarga preocupação. — Trata-se de uma criança estranha, nervosa; depois da morte da mãe, passou duas semanas com uma doença de fundo histérico. Ainda há pouco, quando o senhor chegou, estava chorando tanto... Estás ouvindo, Lisa, estás ouvindo? E por que motivo? Tudo está em que saio e deixo-a sozinha, como se isto significasse que não a amo tanto quanto em vida da mãe; eis do que me acusa. Fantasias que nascem na cabeça de uma criança que deveria ainda estar brincando. E aqui ela nem tem com quem brincar.

— Mas como? Estão aqui... será possível que estejam os dois sozinhos?

— Absolutamente sós; a criada vem apenas para arrumar, uma vez por dia.

— E, ao sair, deixa-a inteiramente só?

— Mas, que jeito tenho eu? E ao sair, ontem, eu até a tranquei naquele quartinho, e por isso mesmo tivemos choro hoje. Mas o que se podia fazer? Veja bem: anteontem, ela desceu sem mim à rua, e um menino jogou-lhe uma pedra na cabeça. Então ela pôs-se a chorar, perguntando a todos, no pátio, para onde eu tinha ido. E isso não está bem. Também, eu sou uma boa peça: saio por uma hora, mas só volto no dia seguinte, de manhã. Ontem aconteceu assim também. Ainda bem que a dona da casa abriu-lhe a porta sem mim; chamou o carpinteiro, para retirar a fechadura, uma vergonha até. Realmente, eu mesmo me sinto um monstro. Tudo isso é uma loucura...

— Papai! — disse a menina, receosa e inquieta.

— Ora, lá está ela de novo! Começas novamente com a mesma coisa? O que foi que eu disse há pouco?

— Não vou fazer mais, não vou fazer mais — repetiu Lisa, assustada, juntando apressadamente as mãos diante dele.

— Isso não pode continuar assim; não podem viver nesse ambiente — falou de súbito Vieltchâninov, impaciente e com acento imperioso. — O senhor bem que... o senhor bem que tem posses; e, neste caso, como é que... em primeiro lugar, como podem viver neste pavilhão e em tal ambiente?

— Pavilhão? Mas dentro de uma semana, provavelmente, já teremos partido daqui, e, quanto ao dinheiro, já gastamos muito, mesmo sem isso, embora, realmente, tenhamos posses...

— Bem, chega, chega — interrompeu-o Vieltchâninov, presa de crescente impaciência, como se dissesse claramente: "Não há o que dizer, sei tudo o que vais dizer, e sei também com que intenção estás falando!". — Escute, faço-lhe uma proposta: ainda agora disse que vai ficar aqui uma semana, talvez duas. Eu tenho nesta cidade uma casa, quero dizer, há uma família em que eu me sinto como em meu próprio lar, e isso há vinte anos já. É a família dos Pogoriéltzev. Aleksiéi Pávlovitch Pogoriéltzev é conselheiro privado;[8] pode mesmo ser-lhe útil, para o seu caso. Estão agora na casa de campo. Possuem uma casa de campo magnífica. Clávdia Pietrovna Pogoriéltzeva é, para mim, como uma irmã ou mãe. Eles têm oito filhos. Deixe que eu leve agora mesmo Lisa para lá... Isso, para não perder tempo. Vão recebê-la com alegria, e, enquanto estiver lá, vão tratá-la como uma filha!

Estava impaciente ao extremo, coisa que não ocultava.

— Isso, de certo modo, é impossível — disse Páviel Pávlovitch, encarando-o nos olhos, com um trejeito e ar ladino, como pareceu a Vieltchâninov.

---

[8] Grau de hierarquia burocrática, no regime tsarista. (N. do T.)

O eterno marido

— Por quê? Por que é impossível?

— Mas como? Deixar partir assim uma criança, e, de repente... é verdade que em companhia de um amigo tão sincero, não é a isso que me refiro, mas, apesar de tudo, para ir a uma casa estranha, de gente da mais alta sociedade, e onde eu não sei como vão recebê-la.

— Mas eu lhe disse que em casa dessa gente sou como uma pessoa da família — gritou Vieltchâninov, quase enfurecido. — Clávdia Pietrovna, a uma simples palavra minha, considerará uma felicidade recebê-la. Como se a menina fosse minha filha... mas, com mil diabos, o senhor mesmo sabe que está falando à toa... não há o que discutir!

Chegou mesmo a bater o pé.

— Quero dizer: não será uma situação muito estranha? Apesar de tudo, eu também deveria ir visitá-la uma vez ou outra; senão, como? Ficaria completamente abandonada pelo pai? Eh, eh... E numa casa assim importante.

— Mas é a mais simples das casas, não tem nada de "importante"! — gritou Vieltchâninov. — Eu lhe digo que ali há muitas crianças. Ela há de ressuscitar, é este o único objetivo... E, quanto ao senhor, amanhã mesmo vou lá recomendá-lo, se quiser. Na verdade, não deixará de ir até lá, apresentar os seus agradecimentos; iremos lá todos os dias, se quiser...

— Tudo isso, de certo modo...

— Bobagem! O mais importante é que o senhor mesmo sabe disso! Ouça, venha a minha casa hoje à noite, e durma lá; partiremos ambos amanhã bem cedinho, para chegar lá ao meio-dia.

— Meu benfeitor! Dormir até em sua casa... — concordou, de repente, Páviel Pávlovitch, comovido. — Está me prestando um real serviço... e onde fica a casa de campo?

— Em Liesnói.

— E as roupas dela? Porque, numa casa assim importante, e ainda mais numa casa de campo, o senhor bem sabe... Coração de pai!

— Mas, que roupas? Ela está de luto. Poderia, acaso, usar outras roupas? É o traje mais decente que se pode imaginar! É só arranjar umas roupas de baixo mais limpas, um lenço de cabeça... (Tanto o lenço como a roupa que aparecia sob o vestido estavam, realmente, muito sujos.)

— Ela vai trocar de roupa agora mesmo — disse, apressado, Páviel Pávlovitch. — E vamos reunir imediatamente o resto da roupa indispensável; Mária Sissóievna levou-a para lavar.

— Deve-se, pois, mandar chamar imediatamente um carro — interrompeu-o Vieltchâninov —, e o quanto antes, se possível.

Mas surgiu uma dificuldade: Lisa opôs-se, decididamente, a ir; durante todo aquele tempo, assustada, ela prestara atenção à conversa, e se Vieltchâninov, enquanto convencia Páviel Pávlovitch, tivesse tido tempo de examiná-la com atenção, teria visto em seu rostinho um verdadeiro desespero.

— Não irei — disse ela firme e tranquilamente.

— Aí está, como vê é igualzinha à mãe!

— Não sou como a mamãe, não sou como a mamãe! — exclamava Lisa, torcendo, desesperada, as pequenas mãos, e parecendo justificar-se perante o pai da terrível acusação de ser como a mãe. — Papai! Papai! Se o senhor me abandonar... — Atirou-se de repente sobre o assustado Vieltchâninov. — Se o senhor me levar, eu...

Mas ela não chegou a dizer mais nada; Páviel Pávlovitch agarrou-a pelo braço, quase pelo cangote, e arrastou-a para o quartinho, presa já de um furor não dissimulado. Mais uma vez, teve lugar ali, por alguns instantes, um murmúrio, e um choro abafado se fez ouvir. Vieltchâninov já se encaminhava para o quartinho quando Páviel Pávlovitch dali saiu, em sua direção, declarando-lhe, com um sorriso crispado, que a menina viria imediatamente. Esforçando-se em não o fitar, Vieltchâninov desviou o rosto.

Apareceu também Mária Sissóievna — aquela mesma mulher que ele encontrara ao entrar, pouco antes, no corre-

O eterno marido

65

dor — e começou a arrumar, numa bonita maleta, pertencente a Lisa, a roupa branca que acabava de trazer.

— O senhor, paizinho, é que vai levar a menina? — dirigiu-se ela a Vieltchâninov. — Tem família? Faz muito bem, paizinho: a criança é sossegada, vai livrá-la de uma Sodoma...

— A senhora, Mária Sissóievna... — balbuciou Páviel Pávlovitch.

— O quê? Mária Sissóievna! Os outros me dão também esse tratamento![9] Então, a tua casa não é uma Sodoma? Será decente a uma criancinha que compreende as coisas olhar para aquelas torpezas? Já lhe trouxeram o carro, paizinho. Vai até Liesnói, não?

— Sim, sim.

— Então, boa viagem!

Lisa apareceu, pálida, de olhos baixos, e apanhou a maleta. Nenhum olhar na direção de Vieltchâninov; conteve-se e não se lançou, como fizera há pouco, a abraçar o pai, mesmo no momento da despedida. Provavelmente, nem sequer queria olhá-lo. O pai beijou-a com decoro na cabecinha e afagou-a. Os lábios da menina crisparam-se, o queixo tremeu-lhe, mas, apesar de tudo, não ergueu os olhos para o pai. Páviel Pávlovitch estava um tanto pálido e as mãos tremiam-lhe; Vieltchâninov notou isso claramente, embora se esforçasse muito em não olhar para ele. Queria unicamente partir dali o quanto antes. "E então, que culpa eu tenho? — pensava. — Era isso mesmo que devia acontecer." Desceram a escada. Mária Sissóievna e Lisa beijaram-se, e, somente ao sentar-se no carro, a menina ergueu os olhos para o pai, e, de repente, levantou os braços e deixou escapar um grito; mais um instante, e ela se teria precipitado fora do veículo em direção a ele, mas os cavalos já haviam partido.

---

[9] O uso do patronímico expressa tratamento respeitoso. (N. do T.)

6.
NOVA FANTASIA DE UM OCIOSO

— Está passando mal? — assustou-se Vieltchâninov. — Mandarei parar, vou pedir água...

Lisa lançou-lhe um olhar ardente de censura.

— Para onde me leva? — indagou com voz agressiva, entrecortada.

— É uma família encantadora, Lisa. Eles estão agora numa casa de campo magnífica; há muitas crianças ali, todos vão gostar de você, é uma gente boa... Não se zangue comigo, Lisa, quero o seu bem...

Ele pareceria estranho, naquele momento, a qualquer dos seus conhecidos.

— O senhor... o senhor... o senhor... uh, como o senhor é mau! — disse Lisa, perdendo o fôlego, devido ao pranto sufocado, e fazendo cintilar seus lindos olhos enfurecidos em direção a Vieltchâninov.

— Lisa, eu...

— O senhor é malvado, malvado, malvado! — Ela torcia as mãos. Vieltchâninov perdeu completamente a cabeça.

— Lisa, querida, se você soubesse como me desespera!

— É verdade que ele virá amanhã? Verdade? — perguntou a menina, num tom autoritário.

— Verdade, verdade! Eu mesmo o levarei lá. Irei apanhá-lo e vou fazer com que me acompanhe.

— Ele vai enganá-lo — murmurou Lisa, baixando os olhos.

— Mas ele não a ama, Lisa?

O eterno marido

67

— Não ama.

— Ele a maltratou? Maltratou?

Lisa lançou-lhe um olhar sombrio e calou-se. Deu-lhe as costas de novo e ficou sentada, os olhos obstinadamente baixos. Ele ensaiou persuadi-la, falava com ardor, e estava também febril. Lisa ouvia-o com desconfiança, com hostilidade, mas não deixou de ouvi-lo. A atenção dela alegrou-o ao extremo: pôs-se até a explicar-lhe o que significava um homem afeiçoado à bebida. Disse-lhe que gostava dela e que ia observar o pai. Lisa ergueu, finalmente, os olhos e fixou-os nele. Vieltchâninov começou a contar-lhe então como conhecera a sua mãe, e percebeu que despertara o interesse dela com aqueles relatos. Pouco a pouco, Lisa passou a responder às suas perguntas, mas com prudência, por monossílabos, e com certa obstinação. Mesmo assim, não respondeu a nenhuma das perguntas mais importantes: teimosa, calava-se a tudo o que se referisse às suas relações com o pai. Conversando com ela, Vieltchâninov tomou-lhe a mãozinha, como fizera também pouco antes, e não a soltou; ela também não a retirou. A menina, aliás, não se calara completamente; apesar de tudo, deixou escapar, nas suas respostas pouco claras, que amava o pai mais que a mãe, porque, antes, ele sempre a amara mais, enquanto a mãe a amara menos; mas que, ao morrer, a mãe beijou-a muito e chorou, quando todos saíram do quarto e elas ficaram a sós... E, agora, ela a amava mais que a todos, mais que a todos no mundo, e cada noite a amava mais. Mas a menina era realmente orgulhosa: percebendo que deixara escapar algo, encerrou-se de novo em seu mutismo; olhou até com ódio para Vieltchâninov, que a obrigara a falar demais. Perto do término da viagem, já o seu histerismo se acalmara quase de todo, mas ela ficou extremamente pensativa; de olhar selvagem, tinha um ar casmurro aliado a uma obstinação sombria, premeditada. Quanto ao fato de estar sendo levada para o meio de uma família desconhecida, que ela nunca vira, isso não parecia perturbá-la muito. Vieltchâninov percebia que outra coisa a fazia sofrer; adivinhava que ela se envergonhava *dele*, que tinha vergonha precisamente do fato de que o pai a tivesse deixado partir com tanta facilidade, como se quisesse ver-se livre dela.

"Está enferma — pensava ele —, talvez gravemente, foi muito maltratada... Oh! criatura bêbada, ignóbil! Agora compreendo aquele homem!" Apressou o cocheiro; confiava na casa de campo, no ar livre, no jardim, nas crianças, na vida nova, desconhecida para ela, e então, mais tarde... Mas não tinha mais dúvidas sobre o que sucederia depois; tinha muitas e radiosas esperanças. De uma coisa, pelo menos, estava certo: nunca, até então, sentira o mesmo que sentia agora, e isto seria para o resto da vida! "Eis o objetivo, eis a vida!" — pensava com exaltação.

Uma chusma de ideias fervilhava-lhe agora na mente, mas ele não se detinha nelas e evitava obstinadamente os pormenores: sem os pormenores, tudo se tornava nítido, tudo era indestrutível. O seu plano mais importante formou-se por si: "Será possível influir sobre aquele miserável — sonhava ele — reunindo as nossas forças; ele deixará Lisa em Petersburgo, em casa dos Pogoriéltzev, embora a princípio seja apenas por algum tempo, e partirá sozinho; e Lisa ficará comigo, eis tudo. Que há de mais nisso? E... e, naturalmente, ele mesmo deseja isto; do contrário, para que martirizá-la?". Finalmente chegaram. A casa de campo dos Pogoriéltzev era de fato um lugar encantador. Foram recebidos, em primeiro lugar, por um bando álacre de crianças, que se espalharam no alpendre da entrada. Havia muito que Vieltchâninov não aparecia ali, e as crianças pareciam fora de si, tal sua alegria: gostavam dele. Os mais velhos gritaram-lhe, antes mesmo que descesse do carro:

— E o processo? Como vai o seu processo?

Até os menores fizeram sua a frase e repetiam-na entre risos e gritos. Provocavam-no ali com aquele processo. Mas, notando Lisa, logo a rodearam e puseram-se a examiná-la, com a silenciosa e atenta curiosidade peculiar às crianças. Depois, chegou Clávdia Pietrovna, seguida pelo marido. Também eles desandaram, desde a primeira palavra, e entre risadas, a interrogá-lo sobre o processo. Clávdia Pietrovna, senhora de uns trinta e sete anos, morena corpulenta e ainda bonita, tinha um rosto fresco e corado. O marido, de uns cinquenta e cinco, era inteligente e astuto, mas, antes de tudo, um homem de coração. Para Vieltchâninov a casa deles era, no verdadeiro sentido, o "próprio lar", conforme ele mesmo dizia. Havia nisso, porém, mais uma circunstância oculta e especial: uns vinte anos antes, Clávdia Pietrovna por pouco deixara de casar com Vieltchâninov, então estudante de universidade e quase um garoto. Era o primeiro amor, um amor ardente, ridículo e belo. O casamento dela com Pogoriéltzev, porém, encerrou o assunto. Encontraram-se novamente, uns cinco anos depois, e tudo se transformou numa amizade límpida e tranquila. Nas relações entre eles ficara para sempre certa ternura, uma luz que iluminava sua amizade. Tudo era puro e irrepreensível nessas recordações de Vieltchâninov, e isso lhe era tanto mais caro quanto, talvez, representasse a única exceção em sua vida. Ali, junto daquela família, ele era simples, ingênuo, bondoso, mimava as crianças como uma babá, nunca se tornava fingido, confessava tudo. Jurara mais de uma vez aos Pogoriéltzev que viveria mais um pouco em sociedade e, depois, se mudaria de vez para a casa deles, e então nunca mais se separariam. E era com bastante seriedade que ele, em seu íntimo, examinava esse projeto.

Contou bem minuciosamente tudo o que deviam saber a respeito de Lisa; todavia, o seu pedido teria sido suficiente, sem quaisquer explicações especiais. Clávdia Pietrovna beijou seguidas vezes "a órfã", e prometeu fazer por ela tudo o que pudesse. As crianças assenhorearam-se de Lisa e levaram-na ao jardim para brincar. Ao cabo de meia hora de animada conversa, Vieltchâninov ergueu-se e começou a despedir-

-se. Era tal o seu estado de impaciência que todos o notaram. E isso causou espanto geral: passara três semanas sem ir lá e, meia hora depois, partia. Ele ria e jurava regressar no dia seguinte. Observaram-lhe que estava muito agitado. De repente, Vieltchâninov segurou as mãos de Clávdia Pietrovna e, pretextando que esquecera de dizer algo muito importante, conduziu-a para um cômodo vizinho.

— Lembra-se do que eu contei somente a você, aquilo que até mesmo o seu marido ignora, sobre o ano que passei em T...?

— Lembro muito bem; você falou nisso com muita frequência.

— Eu não falei apenas, mas confessei-me, e unicamente a você, unicamente a você! Eu nunca lhe disse, no entanto, o sobrenome daquela mulher; pois bem, chamava-se Trussótzkaia, era casada com esse Trussótzki. Foi ela quem morreu, e Lisa é sua filha — é minha filha!

— Tem certeza? Não será um engano? — perguntou Clávdia Pietrovna, um tanto perturbada.

— De modo nenhum, de modo nenhum! — exclamou Vieltchâninov, exaltado.

E ele contou tudo, o mais breve que pôde, apressado e com emoção extrema. Clávdia Pietrovna já estava ao corrente de tudo isso, só o nome da mulher é que era novidade. Vieltchâninov sempre se assustava a tal ponto com a simples ideia de que algum dos seus conhecidos pudesse encontrar *madame* Trussótzkaia, e pensar que *ele* pudera amar *assim* aquela mulher, que não ousara até então revelar o seu nome, nem mesmo a Clávdia Pietrovna, amiga única.

— E o pai não sabe de nada? — perguntou esta, logo que ele terminou o relato.

— Na-ão, ele sabe... O que justamente me atormenta é que ainda não pude compreender tudo! — prosseguiu Vieltchâninov com ardor. — Saber, ele sabe! Percebi isso ontem e hoje. Mas eu preciso ter uma noção exata do quanto ele sabe

O eterno marido

acerca de tudo isso. Eis por que estou com tanta pressa. Ele irá a minha casa à noitinha. Aliás, não consigo compreender de que modo ele pode saber, isto é, saber *tudo*. Quanto a Bagaútov, ele sabe tudo, não há dúvida. Mas, quanto a mim? Você sabe como, em semelhantes casos, as mulheres conseguem persuadir os maridos! Nem a um anjo, se descesse dos céus, um marido daria crédito, e sim à mulher! Não balance a cabeça, não me condene, eu mesmo me condeno e já me condenei em tudo há muito, muito tempo!... Veja: ainda hoje, cedo, a tal ponto estava eu certo de que ele sabia tudo que cheguei a comprometer-me diante dele. Creia-me: sinto uma tal vergonha, um peso tão grande por tê-lo recebido ontem com tamanha grosseria. (Mais tarde contarei tudo isso a você ainda mais minuciosamente!) Ontem, ele foi à minha casa, movido pelo desejo maldoso, incoercível, de me fazer saber que ele conhecia a ofensa que lhe fora feita e quem era seu ofensor! Eis a causa única da sua estúpida aparição em minha casa, em estado de embriaguez. Mas era tão natural da sua parte! Foi lá especialmente para me censurar! Mas eu conduzi todo o caso com ardor excessivo, tanto esta noite como hoje! Fui estúpido e imprudente! Eu mesmo me traí! Por que foi ele aparecer num momento em que estava tão perturbado? Digo-o a você: ele torturava até Lisa, torturava uma criança, e, certamente, também para censurar, para descarregar o mal, ainda que fosse sobre uma criança! Sim, ele está enfurecido; em alto grau, até. Não é mais que um bufão, está claro, embora, em outros tempos, juro por Deus, tivesse a aparência de uma pessoa decente, pelo menos na medida em que isso lhe era possível. Mas é tão natural que ele se tenha lançado na devassidão! No caso, minha amiga, é preciso encarar tudo à maneira cristã! E sabe, minha cara, minha boa amiga, eu quero modificar-me completamente em relação a ele: quero tratá-lo com carinho. Isto será até uma "boa ação" da minha parte. Porque, apesar de tudo, na realidade, sou culpado perante ele! Ouça, digo-lhe mais ainda: um dia, em T..., precisei de repente de quatro mil rublos, e ele me deu o dinheiro no mesmo instante, sem nenhum documento, com uma alegria sincera pelo fato de me prestar um serviço; e eu bem que o aceitei, recebi-o das mãos dele, recebi o seu dinheiro, repare, recebi-o como de um amigo!

— Em todo caso, seja mais cauteloso — observou a tudo aquilo Clávdia Pietrovna, com certa inquietação. — Mas como está exaltado! Francamente, temo por você! Está claro que Lisa é agora também minha filha, mas há em tudo isso tantas circunstâncias, mas tantas, ainda não elucidadas! E, sobretudo, seja agora mais prudente; você deve tornar-se mais circunspecto quando está feliz ou exaltado, como neste momento; você é demasiadamente generoso quando está feliz — acrescentou, com um sorriso.

Todos saíram para acompanhar Vieltchâninov até o carro. As crianças levaram também Lisa, com quem estiveram brincando no jardim. Pareciam olhá-la agora com surpresa ainda maior que antes. Lisa mostrou-se completamente retraída quando Vieltchâninov a beijou em presença de todos, ao despedir-se, e repetiu com ardor a promessa de voltar no dia seguinte, em companhia do pai. Até o último instante, ela permaneceu calada, sem o olhar; então, de súbito, agarrou-o pela manga e puxou-o para um lado, fixando nele um olhar súplice; queria dizer-lhe algo. Ele conduziu-a imediatamente a um cômodo próximo.

— O que há, Lisa? — perguntou carinhosamente e em tom de aprovação. Todavia, ela, espiando em redor e sempre assustada, arrastou-o para um canto mais afastado; queria esconder-se completamente de todos.

— O que há, Lisa, o que há?

Ela calava-se e não se decidia; com seus olhos azuis-claros, fitava imóvel os de Vieltchâninov, e em todos os traços do seu rostinho havia um temor louco.

— Ele... vai se enforcar! — murmurou, como num delírio.

— Quem? — perguntou Vieltchâninov, assustado.

— Ele, ele! Esta noite quis se enforcar com uma corda!
— disse a menina, de modo atropelado, ofegante. — Eu mesma vi! Queria enforcar-se com uma corda, ele me disse, disse! Mesmo antes, ele também queria, sempre quis... Eu vi de noite...

— Não pode ser! — murmurou Vieltchâninov, perplexo. Ela se pôs de repente a beijar-lhe as mãos; chorava, mal recobrando o fôlego após os soluços, pedia-lhe, implorava-lhe algo, mas ele não pôde compreender nada naquele balbuciar histérico. E ele haveria de lembrar sempre, em vigília e em sonho, aquele olhar magoado de criança martirizada, nele fixo, e em que havia um terror louco e uma derradeira esperança.

"Mas, será possível, será possível que ela o ame tanto? — pensou, enciumado e invejoso, regressando à cidade, com uma impaciência febril. — Não faz muito tempo que ela mesma disse ter mais amor à mãe... talvez, mesmo, ela o odeie em vez de o amar...."

"E o que significa: 'vai enforcar-se'? O que foi que ela disse? Aquele imbecil vai se enforcar?... Preciso informar-me; é indispensável! Tem de se encontrar uma solução o mais depressa possível, uma solução definitiva!"

7.
O MARIDO E O AMANTE SE BEIJAM

Seu desejo de "saber" era irresistível. "Ainda há pouco, fiquei abalado; não houve tempo de refletir — pensou ele, recordando o seu primeiro encontro com Lisa — mas, agora, preciso informar-me." A fim de informar-se o quanto antes, chegou a ordenar, impaciente, que o cocheiro o levasse à casa de Trussótzki, mas logo voltou a si: "Não, é melhor que ele mesmo vá a minha casa, e, enquanto isso, eu terminarei o quanto antes com esses malditos processos".

Pôs-se febrilmente a tratar deles; mas, dessa vez, percebeu que estava muito distraído e não podia ocupar-se de negócios. Às cinco horas, quando foi jantar, acudiu-lhe de repente ao espírito, pela primeira vez, um pensamento ridículo: talvez, na realidade, ele apenas atrapalhasse o andamento do processo, intrometendo-se pessoalmente, afanando-se, acotovelando-se nas repartições e perseguindo o seu advogado, que passara a esconder-se dele. Esta suposição provocou-lhe uma gostosa gargalhada. "Mas, se este pensamento me acudisse à mente ontem, eu ficaria extremamente desolado" — acrescentou, mais contente ainda. Não obstante a alegria, tornava-se cada vez mais distraído e impaciente: ficou, de súbito, pensativo; e embora o seu pensamento inquieto se agarrasse a muitos fatos, não atinava justamente com o que lhe era necessário.

"É dele que preciso, daquele homem! — decidiu finalmente. — É preciso decifrá-lo, e depois decidir. Haverá um duelo!"

Voltando para casa às sete horas, não encontrou ali Páviel

Pávlovitch, o que o deixou extremamente surpreso, impressão que se transformou depois em cólera e, a seguir, até em tristeza; finalmente, chegou mesmo a ter medo. "Deus sabe, Deus sabe como isso vai acabar!" — repetia, ora passeando pelo quarto, ora espreguiçando-se sobre o sofá, olhando constantemente para o relógio. Finalmente, quase às nove horas, Páviel Pávlovitch apareceu realmente. "Se este homem estivesse usando de esperteza, não poderia ter escolhido melhor momento, a tal ponto estou fora de mim" — pensou de súbito, completamente reanimado e muito alegre.

À sua pergunta, feita com vivacidade e bom humor — "Por que demorou tanto?" —, Páviel Pávlovitch torceu a boca num sorriso, sentou-se com desenvoltura, de modo diverso da véspera, e, com um gesto displicente, jogou sobre uma cadeira o seu chapéu provido de crepe. Vieltchâninov percebeu imediatamente essa desenvoltura e se pôs em guarda.

Tranquilamente, sem palavras inúteis, livre da perturbação de horas atrás, contou, à guisa de prestação de contas, como ele fizera aquela viagem com Lisa, como ela fora carinhosamente recebida, como isso lhe faria bem, e, pouco a pouco, parecendo esquecer-se completamente de Lisa, pôs-se a falar exclusivamente dos Pogoriéltzev, referindo-se à simpatia daquela gente, às relações de muitos anos que mantinha com eles, ao fato de Pogoriéltzev ser um homem tão bom e, mesmo, influente etc. Páviel Pávlovitch ouvia-o distraído, olhando-o de raro em raro, de viés, com expressão irônica, rabugenta, ladina.

— E você é uma pessoa arrebatada — balbuciou ele, e sorriu com um ar particularmente maldoso.

— Você está hoje muito mau — observou, aborrecido, Vieltchâninov.

— Mas por que não devo ser mau, como todos os demais? — exclamou impetuosamente Páviel Pávlovitch, parecendo saltar de seu canto; dir-se-ia que apenas esperava aquela oportunidade para saltar.

— Seja feita a sua plena vontade — sorriu Vieltchâninov com mofa. — Pensei que talvez lhe tivesse acontecido algo.

— E aconteceu! — exclamou o outro, como se se vangloriasse com o fato.

— E o que foi?

Páviel Pávlovitch fez uma pausa antes de responder:

— É sempre o nosso Stiepan Mikháilovitch que faz das suas... Bagaútov, o jovem elegantíssimo de Petersburgo, e da melhor sociedade.

— Não o receberam novamente, não foi?

— Na-ão, o caso está em que, desta vez, até que me receberam; pela primeira vez, deixaram-me entrar, e pude contemplar-lhe as feições... mas eram as de um defunto!...

— O quê-ê-ê? Bagaútov morreu? — Vieltchâninov surpreendeu-se ao extremo, embora, aparentemente, não houvesse motivo para tamanha surpresa.

— Ele mesmo! O fiel amigo de seis anos! Morreu ontem mesmo, quase ao meio-dia, e eu nem sabia! É possível até que eu tivesse ido informar-me de sua saúde naquele instante mesmo. O enterro é amanhã, ele já se acha estendido no caixão, que tem forro de veludo vermelho e ornamentos dourados... Morreu de febre nervosa. Deixaram-me entrar, sim, deixaram-me entrar, e eu contemplei-lhe as feições! Declarei na entrada que ele me considerava um amigo de verdade, e foi por isso que me deixaram entrar. Mas veja só que peça me pregou esse verdadeiro amigo de seis anos, não é mesmo? Eu talvez tenha vindo a Petersburgo apenas por causa dele!

— Mas, por que se irrita contra ele? — riu Vieltchâninov.

— Ele não morreu de propósito!

— Mas eu o lamento; era um amigo precioso. Veja o que ele significava para mim.

E, de chofre, de modo absolutamente inesperado, Páviel Pávlovitch espetou dois dedos por cima da testa calva, como dois chifres, e deu uma risada prolongada e tranquila. Ficou

O eterno marido 77

sentado assim com aqueles chifres e dando risadinhas, durante meio minuto a fio, fitando Vieltchâninov bem nos olhos, com certa volúpia, feita da mais viperina impertinência. O outro ficou petrificado, como se tivesse visto algum fantasma. Mas isso durou apenas um breve instante; um sorriso irônico, tranquilo até à insolência, foi-lhe surgindo aos poucos nos lábios.

— Mas que significa isso? — perguntou com displicência, arrastando as palavras.

— Isto significa uns chifres — respondeu bruscamente Páviel Pávlovitch, afastando finalmente os dedos da testa.

— Quer dizer... os seus chifres?

— Sim, meus mesmo; por sinal, muito bem adquiridos!

— Páviel Pávlovitch torceu novamente o rosto, de modo extremamente maligno.

Ambos se calaram.

— Você é um homem corajoso! — disse Vieltchâninov.

— Diz isso porque lhe mostrei os chifres? Sabe duma coisa, Aleksiéi Ivânovitch? Faria melhor se me servisse algo! Recebi-o e obsequiei-o em T..., durante um ano inteiro, todos os dias de Cristo... Mande buscar uma garrafa, estou com a garganta seca.

— Com muito prazer; devia ter dito há mais tempo. O que vai querer?

— Por que diz: *vai querer*? Diga: *vamos querer*. Vamos beber juntos, ou não? — Páviel Pávlovitch espiava dentro dos seus olhos, com desafio, mas, ao mesmo tempo, com certa inquietação.

— Champanhe?

— Como não? Ainda não chegou a vez da vodca...

Vieltchâninov levantou-se sem pressa, tocou a campainha, chamando Mavra, que estava embaixo, e deu as ordens.

— Pelo prazer do alegre encontro, após uma separação de nove anos — Páviel Pávlovitch fazia um acompanhamento inútil e desajeitado de risinhos. — Agora só me resta você

78   Fiódor Dostoiévski

como amigo autêntico! Stiepan Mikháilovitch Bagaútov não existe mais! E como diz o poeta:

O grande Pátroclo não mais existe,
Mas Tersites abjeto vive ainda![10]

E, ao pronunciar "Tersites", designou com o dedo o próprio peito.

"Vamos, porco, deverias explicar-te mais depressa, não gosto de indiretas" — pensou Vieltchâninov. A raiva fervia nele, e há muito, já, mal se continha.

— Diga-me uma coisa — começou ele, com expressão de despeito. — Já que você acusa tão diretamente Stiepan Mikháilovitch (desta vez não o chamou simplesmente de Bagaútov), provavelmente sentiu alegria com a morte do seu ofensor; nesse caso, por que se irrita?

— Mas, que alegria? Alegria por quê?

— Estou julgando pelos seus sentimentos.

— Eh, eh! Neste caso se engana com relação aos meus sentimentos; segundo a expressão de um sábio: "É bom um inimigo morto, mas um vivo é ainda melhor". Ih, ih!

— Mas, enquanto ele vivia, você o viu, creio eu, diariamente, durante cinco anos; pôde se fartar de olhá-lo — observou Vieltchâninov, com rancor e arrogância.

— Mas, então... então eu sabia, por acaso? — exclamou precipitadamente Páviel Pávlovitch, de novo como que pulando de seu canto, desta vez até com uma espécie de alegria, pelo fato de que, finalmente, fora-lhe feita uma pergunta que ele há tanto esperava. — Mas, neste caso, por quem é que me toma, Aleksiéi Ivânovitch?

E em seu olhar cintilou, de súbito, certa expressão absolutamente nova e inesperada, que pareceu transformar-

---

[10] Citação da balada de Schiller *Triunfo dos vencedores*, traduzida para o russo por Jukóvski em 1828. (Nota da edição russa)

-lhe de todo o rosto rancoroso, até então apenas ignobilmente torcido.

— Mas não sabia mesmo de nada?! — exclamou Vieltchâninov, intrigado e com a mais brusca surpresa.

— Mas, então, eu sabia? Acaso sabia?! Oh, raça dos nossos Jupíteres! Para vocês, um homem é o mesmo que um cão, e julgam a todos segundo a sua própria natureza mesquinha! Aí está! Engula isto! — e, enfurecido, bateu o punho na mesa, mas, no mesmo instante, assustou-se com a sua própria batida e o seu olhar adquiriu uma expressão temerosa.

Vieltchâninov aprumou-se.

— Escute, Páviel Pávlovitch, e há de convir que me é de todo indiferente o fato de que você soubesse ou não. Todavia, se não sabia, isso honra-o mais, embora... aliás, não compreendo sequer por que me escolheu para confidente...

— Não falo de você... não se zangue, não é de você que eu falo... — murmurou Páviel Pávlovitch, olhando para o chão.

Chegou Mavra, trazendo champanhe.

— Aí está ele! — gritou Páviel Pávlovitch, visivelmente satisfeito com aquela saída. — Uns copinhos, mãezinha, uns copinhos; magnífico! Não lhe vamos pedir mais nada, minha cara. E já está aberto? Honra e glória lhe sejam concedidas, encantadora criatura! E, agora, suma! — E, reanimando-se, olhou novamente com impertinência para Vieltchâninov. — Mas confesse — disse de repente com um risinho — que tudo isso lhe interessa muito, e, de modo nenhum, lhe é "de todo indiferente", como disse ainda há pouco; e isso de tal modo que até se aborreceria, se eu me levantasse neste momento e fosse embora sem lhe explicar nada.

— Francamente, não ficaria aborrecido.

"Ai, que mentira" — dizia o sorriso de Páviel Pávlovitch.

— Bem, ataquemos! — e ele encheu os copos de vinho.

— Façamos um brinde — exclamou, erguendo o copo — à memória do nosso falecido amigo Stiepan Mikháilovitch!

Levantou o copo e bebeu.

— Não beberei com um brinde desses. — Vieltchâninov depôs o copo na mesa.

— Mas, por quê? É um brindezinho agradável.

— Quero saber uma coisa: quando entrou, ainda há pouco, estava bêbado?

— Bebi um pouco. Por quê?

— Nada de especial, mas tive a impressão de que ontem e, sobretudo, hoje de manhã lamentava sinceramente a falecida Natália Vassílievna.

— E quem lhe disse que não a lamento sinceramente, agora também? — pulou de novo Páviel Pávlovitch, como se mais uma vez fosse movido pela sua mola.

— Não digo isso; mas, convenha comigo, podia enganar-se a respeito de Stiepan Mikháilovitch, e isso é muito grave.

Páviel Pávlovitch sorriu com expressão ladina e piscou o olho.

— Você tem muita vontade de saber como foi que eu mesmo vim a saber daquilo sobre Stiepan Mikháilovitch!

Vieltchâninov corou.

— Repito-lhe mais uma vez que isto me é indiferente. "Não seria melhor tocá-lo daqui, agora mesmo, com a sua garrafa?" — pensou enfurecido, e corou ainda mais.

— Não é nada! — disse Páviel Pávlovitch, como que estimulando-o, e encheu para si mais um copo.

— Vou explicar-lhe agora mesmo como foi que eu soube de "tudo" e, desse modo, satisfazer o seu desejo ardente... pois você é um homem arrebatado, um homem terrivelmente arrebatado! Eh, eh! Dê-me apenas um cigarrinho, pois, desde o mês de março, eu...

— Aí tem o cigarrinho.

— Perverti-me a partir de março, Aleksiéi Ivânovitch, e eis como tudo isso aconteceu, preste atenção. A tísica, como sabe muito bem, meu queridíssimo amigo — tornava-se cada vez mais familiar —, é uma doença curiosa. Comumente, o

O eterno marido

tísico vai morrendo, quase sem desconfiar que acabará morrendo no dia seguinte. Digo-lhe que, ainda cinco horas antes de seu passamento, Natália Vassílievna preparava-se para ir visitar a sua tia, que morava a umas quarenta verstas. Além disso, provavelmente, está a par do costume, ou melhor, da mania de muitas senhoras — e talvez também de cavalheiros — de conservar toda espécie de velharias, no que se refere a correspondência amorosa. O mais justo seria queimá-las, não é verdade? Mas não, conservam em gavetinhas e estojos cada pedacinho de papel; tudo fica até numerado, classificado, segundo os anos e os dias. Talvez constitua um grande consolo, não sei; mas, provavelmente, faz-se isso por causa das recordações agradáveis. Preparando-se, cinco horas antes do passamento, para ir à festa em casa da titia, Natália Vassílievna, como era natural, não tinha sequer o pensamento da morte, e isto até a sua hora derradeira, e não cessava de esperar aquele Koch. E aconteceu justamente que, após a morte de Natália Vassílievna, o cofrezinho de madeira preta, com incrustação de prata e madrepérola, ficou na sua escrivaninha. Era um cofrezinho bonito, com chave, objeto de família, herança da avó. Pois bem, foi nesse cofrezinho justamente que apareceu tudo, mas tudo mesmo, sem nenhuma exclusão, ordenado segundo os dias e os anos, e referente a todos esses vinte anos. E como Stiepan Mikháilovitch tivesse uma decidida vocação literária (ele chegou até a mandar uma novela apaixonada para uma revista), aconteceu encontrar-se no cofrezinho cerca de uma centena de suas produções; é verdade que a coisa durou cinco anos. Algumas delas tinham até anotações com letra de Natália Vassílievna. Agradável para o marido, não acha?

Vieltchâninov pensou rapidamente e lembrou que nunca escrevera carta ou bilhete a Natália Vassílievna. E embora tivesse mandado duas cartas de Petersburgo, fizera-o dirigindo-se a ambos os esposos, conforme ficara combinado. E nem respondera à última carta de Natália Vassílievna, aquela em que se determinava a sua exoneração.

Terminado o relato, Páviel Pávlovitch ficou calado por todo um minuto, sorrindo com insistência e parecendo pedir resposta.

— Mas, por que não respondeu nada à minha perguntinha? — disse afinal, com evidente sofrimento.

— Que perguntinha?

— Sobre os sentimentos agradáveis do marido, ao abrir um cofrezinho desses.

— Eh, que tenho eu com isso? — Vieltchâninov fez um gesto mal-humorado com a mão, levantou-se e pôs-se a caminhar pela sala.

— Mas eu juro que está pensando neste momento: "És mesmo um porco, pois tu mesmo encontraste os teus chifres", eh, eh! Você... é um homem que tem muito asco.

— Não estou pensando em nada disso. Pelo contrário, você está demasiadamente irritado com a morte do seu ofensor, e, além disso, tomou muito vinho. Não vejo em tudo isso nada de extraordinário; compreendo muito bem para que precisava de Bagaútov vivo, e estou pronto a respeitar o seu mal-estar, mas...

— E para que precisava eu de Bagaútov, na sua opinião?

— Isso é da sua conta.

— Sou capaz de jurar: não pensou num duelo?

— Diabo! — Vieltchâninov perdia cada vez mais o controle. — Eu supunha que todo homem honrado... em tais casos, não se rebaixa a uma tagarelice cômica, a estúpidos fingimentos, a queixas ridículas e subentendidos aviltantes, que ainda mais o enxovalham, mas age às claras, abertamente, como um homem de brio!

— Eh, eh, mas não serei um homem de brio?

— Mais uma vez, isso é da sua conta... Mas então para que diabo precisava, depois de tudo isso, de Bagaútov vivo?

— Ainda que fosse apenas para olhar o amiguinho. Poderíamos apanhar uma garrafa e beber juntos.

— Ele nem sequer beberia com você.

O eterno marido

— Por quê? *Noblesse oblige?*[11] Você bem que está bebendo comigo; e em que era ele melhor que você?

— Eu não bebi com você.

— Mas, por que, de repente, este orgulho?

Vieltchâninov soltou de súbito uma gargalhada, nervosa e irritadamente:

— Ufa, diabo! Você é, decididamente, um "tipo feroz"! Pensei que fosse simplesmente um "eterno marido" e nada mais!

— Como assim, "eterno marido"? Que significa isso? — Páviel Pávlovitch ficou, de repente, de ouvido atento.

— Assim, é um tipo de marido... Contar isso levaria muito tempo. É melhor que vá embora, já é tarde; aborrece-me!

— E "feroz"? Disse "feroz"?

— Eu disse que é "um tipo feroz"; disse para caçoar de você.

— Que significa este "tipo feroz"? Faça-me o favor de contar, Aleksiéi Ivânovitch, pelo amor de Deus, ou pelo amor de Jesus Cristo.

— Mas basta, basta! — gritou Vieltchâninov, que tornou a irritar-se ao extremo. — Já é tempo de ir! Vá embora daqui!

— Não, não basta! — exclamou Páviel Pávlovitch, também num sobressalto. — Mesmo que o importune, ainda não basta, pois, antes disso, devemos beber juntos e brindar! Bebamos, e então irei embora, mas, por enquanto, não basta!

— Páviel Pávlovitch, você pode ir hoje para o diabo que o carregue, ou não?

— Posso ir ao diabo que me carregue, mas, antes disso, bebamos! Você disse que não quer beber justamente *comigo*; mas *eu quero* que seja justamente comigo!

Não fazia mais caretas, não estava mais dando risinhos.

---

[11] Em francês no original: "A nobreza obriga". (N. do T.)

Tudo nele pareceu transformar-se num instante, e toda a sua figura e tom de voz se tornaram a tal ponto opostos aos do Páviel Pávlovitch de há pouco, que Vieltchâninov ficou decididamente estupefato.

— Eh, bebamos, Aleksiéi Ivânovitch! Eh, não me negue isto! — continuou Páviel Pávlovitch, agarrando-lhe fortemente o braço e olhando para o seu rosto com ar estranho. Aparentemente, não se tratava apenas de beber.

— Bem, vá lá — murmurou o outro. — Mas... isto é uma beberagem imunda...

— Sobrou justamente para dois copos; é realmente uma beberagem imunda, mas bebamos e brindemos! Aí está, queira tomar o seu.

Brindaram e beberam.

— Bem, e se é assim, se é assim... ah! — Páviel Pávlovitch agarrou de repente a testa com a mão e passou alguns instantes naquela posição. Vieltchâninov teve a impressão de que, um instante mais, e ele diria a palavra *derradeira*. Mas Páviel Pávlovitch não disse nada; apenas olhou para ele e sorriu placidamente, com toda a boca. Era o mesmo sorriso ladino e cheio de subentendidos de antes.

— O que quer de mim, homem bêbado?! Está zombando? — gritou Vieltchâninov exasperado, batendo os pés.

— Não grite, não grite, para que gritar? — Páviel Pávlovitch agitou apressadamente o braço. — Não estou zombando, não estou zombando! Sabe o que você é agora? Eis o que se tornou para mim.

E, súbito, agarrou a mão dele e beijou-a. Vieltchâninov ficou atônito.

— Eis o que você é agora para mim! E, agora, vou a todos os diabos!

— Espere, um momento! — gritou Vieltchâninov, voltando a si. — Esqueci de lhe dizer... — Páviel Pávlovitch voltou-se, junto ao umbral. — Escute — pôs-se a murmurar Vieltchâninov, muito depressa, corando e desviando completa-

O eterno marido

85

mente o olhar —, você deveria ir amanhã, sem falta, à casa dos Pogoriéltzev... travar relações e agradecer... sem falta...

— Sem falta, sem falta, como não compreender?! — concordou Páviel Pávlovitch, pressuroso ao extremo, agitando rapidamente a mão, em sinal de que nem era preciso lembrar isto.

— E, além disso, Lisa está muito ansiosa, à sua espera. Eu prometi...

— Lisa — Páviel Pávlovitch tornou a aproximar-se. — Lisa? Sabe você o que tem sido Lisa para mim, o que foi e o que é atualmente? Sim, o que foi e o que é?! — gritou de chofre, quase fora de si. — Mas... eh! isto fica para mais tarde; tudo fica para mais tarde... e, agora, não me basta mais que tenhamos bebido juntos, Aleksiéi Ivânovitch, é indispensável para mim uma outra satisfação!...

Colocou o chapéu na cadeira e, como pouco antes, olhava para ele, um tanto ofegante.

— Beije-me, Aleksiéi Ivânovitch — propôs de repente.

— Está bêbado? — exclamou o outro, afastando-se um pouco.

— Estou bêbado, sim, mas, assim mesmo, beije-me, Aleksiéi Ivânovitch. Eh, beije-me! Não lhe beijei a mão, ainda há pouco?

Aleksiéi Ivânovitch permaneceu calado alguns instantes, como se tivesse levado uma paulada na cabeça. Mas, de repente, abaixou-se em direção de Páviel Pávlovitch, que lhe ficava à altura do ombro, e beijou-lhe os lábios, que desprendiam forte cheiro de vinho. Aliás, não estava muito certo de que o beijara.

— Muito bem, agora, agora... — gritou Páviel Pávlovitch, novamente numa exaltação de bêbado, e os seus olhos de ébrio faiscaram — agora, aí tem o seguinte: pensei, naquela ocasião: "Será possível que também este? Se também este, pensei, se ele também, neste caso, em quem se vai acreditar depois disso?!" — Páviel Pávlovitch ficou, de repente, com o rosto inundado de lágrimas. — Compreende, pois, que amigo se tornou agora para mim?

E saiu correndo do quarto, o chapéu na mão. Vieltchâninov permaneceu mais alguns instantes parado no mesmo lugar, como fizera após a primeira visita de Páviel Pávlovitch.

"Eh, um palhaço bêbado e nada mais!" — fez um gesto com a mão. "Decididamente, nada mais!" — confirmou com energia, após ter-se despido e deitado.

8.
LISA ADOECE

Na manhã seguinte, enquanto esperava por Páviel Pávlovitch, que prometera não se atrasar, para irem juntos à casa dos Pogoriéltzev, Vieltchâninov caminhava pelo quarto, bebericando seu café e fumando, e, a cada instante, confessava a si mesmo que ele se parecia com um homem que, acordando de manhã, lembra-se continuamente de ter sido esbofeteado na véspera. "Hum... ele compreende muitíssimo bem do que se trata, e vai vingar-se de mim, por intermédio de Lisa!" — pensou assustado.

A imagem meiga e triste da pobre criança surgia a seus olhos. Bateu-lhe com mais força o coração, ao pensar que, naquele mesmo dia, dentro de duas horas, veria novamente a *sua* Lisa. "Eh, não há o que discutir! — decidiu arrebatado — Isso é, agora, toda a minha vida e todo o meu objetivo! Que valem todos esses bofetões e reminiscências?!... E para que vivi até agora? Desordem e tristeza... E agora tudo está diferente, bem diferente!"

Mas, não obstante o seu entusiasmo, estava ficando cada vez mais pensativo.

"Ele há de martirizar-me por intermédio de Lisa, isso está claro! E há de torturar Lisa também. E, com isso, ele me destruirá por *tudo*. Hum... sem dúvida, não posso permitir mais que ele repita saídas como a de ontem — corou de repente — e... e eis, no entanto, que ele não vem, e já são mais de onze!"

Esperou muito tempo, até meio-dia e meia, e a sua angústia crescia cada vez mais. Páviel Pávlovitch não aparecia. Finalmente a ideia — que há muito se agitava nele — de que o outro não viria propositadamente, apenas por desatino, ao jeito da véspera, acabou por irritá-lo: "Ele sabe que dependo dele. E agora, que será agora de Lisa?! E como posso aparecer diante dela sozinho?!".

Afinal, não se conteve e, à uma em ponto, correu até Pokróv. Disseram-lhe que Páviel Pávlovitch nem sequer dormira em casa, chegara somente depois das oito, passara ali apenas um quarto de hora e tornara a partir. Parado à porta do quarto de Páviel Pávlovitch, Vieltchâninov ouvia o que lhe dizia a empregada, torcia maquinalmente a maçaneta da porta fechada à chave e puxava-a para trás e para a frente. Voltando a si, cuspiu para o lado, soltou a fechadura e pediu que o levassem até Mária Sissóievna. Esta, porém, tendo sabido de sua presença ali, vinha já ao seu encontro.

Ela era mulheraça bondosa, "mulheraça com sentimentos nobres", como se expressou Vieltchâninov a seu respeito, mais tarde, quando transmitiu a Clávdia Pietrovna a conversa que tivera com ela. Depois de interrogá-lo sumariamente sobre como conduzira na véspera a "garota", Mária Sissóievna pôs-se a contar-lhe o que sabia de Páviel Pávlovitch. — Se não fosse pela criancinha, há muito já o teria posto na rua — dizia ela. — Já havia sido expulso de um hotel, por causa dos seus escândalos. Então, não é um pecado trazer de noite uma rapariga para o quarto, quando ali mesmo está uma criança que compreende as coisas?! Gritava com ela: "Será tua mãe, se eu quiser!". Pois bem, acredite, a própria rapariga cuspiu-lhe na cara. Ele gritou para a menina: "Tu não és minha filha, mas uma bastarda".

— O que está dizendo? — assustou-se Vieltchâninov.

— Eu mesma ouvi. Ele estava embriagado, é verdade, fora de si, mas, assim mesmo, não se pode dizer essas coisas a uma criança; apesar da pouca idade, acabará percebendo! A menina ficou chorando, vi que era o cúmulo do sofrimento. E, outro dia, sucedeu um pecado aqui em casa: um comissário, ou coisa que o valha, alugou um quarto à noitinha e enforcou-se pela manhã. Diziam que dera um desfalque. Juntou gente, Páviel Pávlovitch não estava em casa, a criança ficou andando sem ninguém para vigiá-la, e eis que vi: lá estava ela no corredor, no meio do povo, espiando por trás dos outros, olhando de modo estranho para o enforcado. Eu trouxe-a para cá o mais depressa que pude. E o que é que pensa? Ficou trêmula e toda preta. E, apenas a trouxe, caiu em convulsões. Debateu-se muito, a custo voltou a si. Eram cãibras, talvez. Só sei que desde então começou a adoecer. Ele soube do caso ao voltar, e beliscou-a toda, pois não lhe bate muito, o mais comum é dar-lhe beliscões. Embebedou-se em seguida. Pôs-se a assustá-la: "Vou enforcar-me também, para escapar de ti; vou enforcar-me com este cordão da cortina"; e fez um nó diante dela. A menina ficou completamente fora de si; envolveu-o com os bracinhos, gritou: "Não vou fazer mais, nunca mais". Dava uma pena!

Embora Vieltchâninov esperasse algo muito estranho, a história surpreendeu-o tanto que nem acreditou. Mária Sissóievna contou muito mais; de outra feita, por exemplo, se ela não estivesse perto, Lisa talvez se jogasse pela janela. Quando Vieltchâninov saiu dali, parecia bêbado também. "Vou matá-lo com pauladas na cabeça, como um cachorro!" — ficou repetindo por muito tempo, mentalmente.

Alugou uma caleça e dirigiu-se à casa dos Pogoriéltzev. Antes mesmo de saírem da cidade, o carro teve que parar num cruzamento, perto de uma ponte sobre um riacho, pela qual estava passando um grande cortejo fúnebre. De ambos os lados da ponte aglomeravam-se algumas carruagens à espera, bem como transeuntes. Era um enterro de gente rica, e as carruagens formavam uma fila bem longa. E eis que, da janelinha de uma delas, surgiu de repente o rosto de Páviel Pávlovitch. Vieltchâninov não teria acreditado, se o outro não pusesse a cabeça fora da janela e não acenasse para ele, sorrindo. Parecia contente ao extremo, por haver reconhecido Vieltchâninov; pôs-se até a fazer sinais com a mão. Vieltchâninov pulou fora do carro e, apesar do aperto, dos policiais e do fato de a carruagem de Páviel Pávlovitch ir já entrando na ponte, chegou correndo até aquela janelinha. Páviel Pávlovitch estava sozinho no carro.

— O que lhe aconteceu? — gritou Vieltchâninov. — Por que não foi a minha casa? Como se acha aqui?

— Estou cumprindo uma obrigação. Não grite! Não grite! É uma obrigação. — Páviel Pávlovitch deu uma risadinha, franzindo alegremente o sobrecenho. — Estou acompanhando os restos mortais de Stiepan Mikháilovitch, um amigo de verdade.

— Tudo isto é um absurdo, está bêbado, seu louco! — gritou com mais força ainda Vieltchâninov, que estivera um momento sem falar. — Saia daí imediatamente e venha para o meu carro! Imediatamente!

— Não posso, é uma obrigação...

— Vou tirá-lo à força! — berrou Vieltchâninov.

— E eu vou gritar! E eu vou gritar! — continuou Páviel Pávlovitch com o mesmo risinho alegre, como se alguém estivesse brincando com ele, e escondia-se, ao mesmo tempo, no fundo da carruagem.

— Cuidado, cuidado, vai ser esmagado! — gritou um policial.

Realmente, na saída da ponte, um carro esquisito, que rompera a fila, estabelecera certa confusão. Vieltchâninov teve que pular para o lado; no mesmo instante, as demais carruagens e a multidão empurraram-no para mais longe. Cuspiu e voltou ao seu carro.

"Tanto faz; do jeito que ele está, não poderia levá-lo comigo!" — pensou, ainda inquieto e surpreso.

Quando contou a Clávdia Pietrovna o relato de Mária Sissóievna e aquele encontro estranho no enterro, ela ficou muito pensativa:

— Temo por você — disse. — Deve romper quaisquer relações com ele, e quanto antes, melhor.

92   Fiódor Dostoiévski

— Ele é um palhaço bêbado, e nada mais! — exclamou Vieltchâninov com exaltação. — Vou lá ter medo dele! E como é que vou romper relações, se há o caso de Lisa? Lembre-se de Lisa!

Entretanto, Lisa estava de cama, doente. Na véspera, à noitinha, fora acometida de febre, e estavam à espera de um médico famoso, que tinham mandado chamar na cidade, logo cedo. Tudo isso deixou Vieltchâninov muito aborrecido. Clávdia Pietrovna conduziu-o ao quarto da enferma.

— Ontem, eu a observei com atenção — disse ela, parando à entrada do quarto. — É uma criança orgulhosa e tristonha; tem vergonha de estar em nossa casa e ter sido abandonada assim pelo pai; eis em que consiste, na minha opinião, toda a sua doença.

— Como abandonada? Por que pensa que ele a abandonou?

— O simples fato de que a tenha deixado vir assim para cá, para o meio de uma família desconhecida, e com um homem... quase desconhecido também, ou com quem teve certa espécie de relações...

— Mas fui eu quem a trouxe, tirei-a dele à força; não acho...

— Ah, meu Deus, mas é Lisa, uma criança, quem pensa isso! Creio que ele simplesmente não virá nunca.

Vendo Vieltchâninov sozinho, Lisa não se surpreendeu; apenas sorriu tristemente e virou para a parede a cabecinha, que ardia em febre. Não respondeu nada às tímidas palavras de consolo e às promessas arrebatadas de Vieltchâninov, no sentido de que, no dia seguinte, ia trazer com certeza o pai. Saindo do quarto, ele de repente se pôs a chorar.

O médico chegou somente ao anoitecer. Tendo examinado a doente, assustou a todos desde a primeira palavra, observando que haviam feito mal em não o chamar antes. Quando lhe disseram que a criança adoecera apenas na noite anterior, não quis a princípio acreditar. "Tudo depende do modo

O eterno marido

como passar esta noite" — decidiu finalmente e, tendo dado algumas instruções, partiu, prometendo voltar no dia seguinte, o mais cedo possível. Vieltchâninov queria a todo custo passar ali a noite, mas a própria Clávdia Pietrovna insistiu com ele para que, mais uma vez, "tentasse trazer aquele monstro".

— Mais uma vez? — disse Vieltchâninov fora de si. — Mas, agora, vou amarrá-lo e trazê-lo nos meus braços!

A ideia de amarrar Páviel Pávlovitch e trazê-lo nos braços apoderou-se dele de súbito, deixando-o muito impaciente.

— Agora não me sinto mais culpado perante ele em nada, em nada! — disse a Clávdia Pietrovna, despedindo-se. — Renego todas as minhas palavras chorosas e torpes de ontem! — acrescentou indignado.

Lisa estava deitada de olhos fechados e parecia dormir; dava a impressão de sentir-se melhor. Quando Vieltchâninov se abaixou, cautelosamente, aproximando-se da sua cabecinha, a fim de beijar, como despedida, ao menos a fímbria do seu vestido, ela abriu de súbito os olhos, como se o esperasse, e murmurou:

— Leve-me daqui.

Era uma súplica doce e triste, sem nenhum vestígio da irritação da véspera; mas, ao mesmo tempo, ressoou também como se ela mesma estivesse convencida de que o seu pedido não seria de modo algum satisfeito. Quando Vieltchâninov, desesperado ao extremo, se pôs a convencê-la de que era impossível, ela fechou silenciosamente os olhos e não disse mais palavra, como se não o estivesse vendo nem ouvindo.

Uma vez na cidade, Vieltchâninov fez-se conduzir imediatamente a Pokróv. Já eram dez horas; Páviel Pávlovitch não estava em casa. Esperou meia hora por ele, passeando pelo corredor, presa de impaciência doentia. Mária Sissóievna convenceu-o afinal de que Páviel Pávlovitch, na certa, só voltaria ao nascer do sol. "Pois bem — resolveu Vieltchâninov —, voltarei aqui também ao nascer do sol." E dirigiu-se para casa, fora de si.

94   Fiódor Dostoiévski

Mas qual não foi a sua estupefação quando, ao subir a escada, Mavra o informou de que o visitante da véspera estava à sua espera desde as nove e tanto.

— Já tomou chá e mandou buscar bebida, a mesma de ontem. Deu-me uma notinha azul.[12]

[12] Cédula de cinco rublos. (N. do T.)

9.
O ESPECTRO

Páviel Pávlovitch instalara-se muito confortavelmente. Ocupava a mesma cadeira da véspera, fumava cigarros e acabava de encher o quarto copo, esvaziando a garrafa. Um bule e um copo de chá pela metade estavam ao seu lado, sobre a mesa. O seu rosto enrubescido irradiava placidez. Havia até tirado o fraque, e estava de colete, ao jeito de verão.

— Desculpe-me, fidelíssimo amigo! — exclamou ele, vendo Vieltchâninov, e correu a vestir o fraque. — Eu o despi para gozar melhor este momento...

Vieltchâninov acercou-se dele com expressão sombria.

— Ainda não está completamente bêbado? Ainda podemos conversar?

Páviel Pávlovitch perdeu um pouco o jeito.

— Não, completamente não... Bebi em memória do defunto,[13] mas ainda não estou completamente...

— Vai compreender-me?

— Eu vim justamente para compreendê-lo.

— Pois bem, para começar, devo dizer-lhe que é um miserável! — gritou Vieltchâninov, a voz estrangulada.

— Se começa assim, como é que vai terminar? — Páviel Pávlovitch esboçou um protesto, aparentemente muito assustado, mas Vieltchâninov continuou gritando, sem o ouvir:

— A sua filha adoeceu, está morrendo. Abandonou-a? Sim ou não?

---

[13] Beber em memória de um defunto, após o enterro, constitui tradição na Rússia. (N. do T.)

— Está realmente à morte?

— Está enferma, perigosamente enferma!

— Talvez sejam uns atequezinhos...

— Não diga tolices! Está mu-ui-to doente! Deveria ir lá, ao menos por isso...

— Para agradecer, agradecer a hospitalidade! Compreendo muito bem! Aleksiéi Ivânovitch, meu caro, meu perfeito amigo — agarrou-lhe de repente a mão, apertando-a nas suas, e gritou, com um sentimento de bêbado, quase com lágrimas, como se pedisse perdão —, Aleksiéi Ivânovitch, não grite, não grite! Se eu morrer, se desaparecer neste momento, bêbado, no rio Nievá, que importância poderá ter isso, nas atuais circunstâncias? E sempre haverá tempo de ir à casa desse senhor Pogoriéltzev...

Vieltchâninov voltou a si e conteve-se um pouco.

— Está bêbado, e, por isso, não compreendo o que quer dizer — observou ele com severidade. — Estou sempre pronto a explicar-me com você; ficaria até satisfeito que fosse logo... Fui até... Mas, em primeiro lugar, saiba que estou tomando medidas: deve passar a noite em minha casa! Amanhã de manhã, vou levá-lo para lá. Não o deixarei escapar! — pôs-se a berrar novamente. — Vou amarrá-lo e levá-lo nos braços!... É cômodo este sofá? — Vieltchâninov apontou, ofegante, para o sofá largo e macio, que ficava em frente de outro, em que ele próprio dormia, junto à parede.

— Mas como! Fico em qualquer lugar...

— Não é em qualquer lugar, mas neste sofá! Tome aí o lençol, o cobertor, um travesseiro (Vieltchâninov tirou todas essas coisas do guarda-roupa e jogava-as precipitadamente a Páviel Pávlovitch, que estava de braço esticado, num gesto obediente). Faça agora a cama, vamos, arrume-a!

Páviel Pávlovitch, sobrecarregado, estava de pé no meio do quarto, como que indeciso, com um sorriso largo, ébrio, sobre o seu rosto de bêbado; mas, depois que Vieltchâninov repetiu o grito zangado, começou de repente a movimentar-se

com todo empenho, empurrou a mesa e, resfolegando, pôs-
-se a desdobrar e a esticar o lençol. Vieltchâninov aproximou-
-se dele para ajudar; em parte, estava satisfeito com a submis-
são e o terror do visitante.

— Acabe de beber o seu copo e deite-se — ordenou novamente. Sentia que não podia deixar de dar ordens. — Foi
você mesmo que mandou buscar a bebida?

— Eu mesmo... Eu sabia, Aleksiéi Ivânovitch, que não
mandaria mais trazê-la.

— Foi bom que soubesse, mas precisa saber mais ainda.
Comunico-lhe novamente que já tomei algumas medidas; não
tolerarei mais as suas caretas, e não admitirei aqueles seus
beijos bêbados de ontem!

— Bem que eu compreendo também, Aleksiéi Ivânovitch,
que tudo isso foi possível apenas uma vez — sorriu maliciosamente Páviel Pávlovitch.

Ouvindo a resposta, Vieltchâninov, que estava caminhando pelo quarto, parou de súbito, com expressão quase triun-
fante, junto a Páviel Pávlovitch:

— Fale francamente, Páviel Pávlovitch! É inteligente, re-
conheço-o mais uma vez, mas eu lhe asseguro que está num
caminho falso! Fale francamente, aja também com franqueza, e eu lhe dou minha palavra de honra de que responderei
a tudo o que quiser!

Páviel Pávlovitch tornou a sorrir maliciosamente, com
aquele seu sorriso comprido, que, por si só, já deixava Vieltchâninov tão exasperado.

— Espere! — tornou ele a gritar. — Não finja, eu com-
preendo-o perfeitamente! Repito: dou-lhe minha palavra de
honra de que estou pronto a responder-lhe a *tudo*, e que re-
ceberá todas as satisfações possíveis, todas, até mesmo as im-
possíveis! Oh, como eu gostaria que me compreendesse!...

— Já que é tão bondoso — Páviel Pávlovitch aproximou-
-se dele cautelosamente — devo dizer-lhe que fiquei muito
intrigado ontem com aquela sua referência ao tipo feroz!...

O eterno marido

Vieltchâninov cuspiu e pôs-se novamente a caminhar pelo quarto, com mais rapidez ainda.

— Não, Aleksiéi Ivânovitch, não fique aí cuspindo, pois eu estou muito interessado, e vim justamente verificar... A minha língua não está funcionando muito bem para falar, mas desculpe-me. Sobre o tipo "feroz" e o "manso" eu mesmo li numa revista, na seção de crítica, lembrei-me disso hoje de manhã... mas esqueci e, para falar a verdade, nem cheguei a compreender daquela vez. Gostaria justamente de esclarecer: o defunto Stiepan Mikháilovitch Bagaútov era "feroz" ou "manso"? Como classificá-lo?

Vieltchâninov continuava calado e não cessava de caminhar.

— O tipo feroz é aquele — deteve-se de repente, enfurecido —, é aquele homem que teria posto veneno no copo de Bagaútov, ao "beber champanhe" com ele, em comemoração pelo feliz encontro, como você bebeu ontem comigo, mas não iria acompanhar o seu caixão ao cemitério, como você fez hoje, impelido o diabo sabe por que motivos secretos, clandestinos, ignóbeis, e por fingimentos que o enxovalham! Sim, enxovalham-no!

— Não teria ido, é verdade — confirmou Páviel Pávlovitch —, mas você me trata de um modo...

— Não é o homem — exaltava-se e gritava Vieltchâninov, sem ouvir o que o outro dizia — que engendra para si sabe Deus que histórias fantásticas, que faz a contabilidade da justiça, que decora a ofensa sofrida como uma lição, que se lamuria, careteia, faz gestos fingidos, pendura-se ao pescoço das pessoas e, finalmente, constata que todo o seu tempo foi consumido nisso! É verdade que você quis enforcar-se? É verdade?

— Estando bêbado, é possível que me tivesse vindo à cabeça alguma coisa neste sentido, não me lembro. Não nos fica bem, Aleksiéi Ivânovitch, pôr veneno no copo de uma pessoa. Além do fato de eu ser um funcionário conceituado, tenho algum dinheiro e talvez resolva casar-me de novo.

— E, depois, há os trabalhos forçados.

— Exatamente, poderia acontecer também esse transtorno, se bem que, atualmente, os tribunais encontrem amiúde circunstâncias atenuantes. Aliás, queria narrar-lhe uma pequena anedota, muito engraçada, que me ocorreu ainda hoje, no carro. Você disse, ainda há pouco: "pendura-se ao pescoço das pessoas". Talvez se lembre de Siemión Pietróvitch Livtzóv; ele esteve em T... quando você residia ali; pois bem, o irmão mais novo dele, também um jovem da sociedade de Petersburgo, era adido ao governador de V... e possuía também qualidades brilhantes. Um dia, ele teve uma discussão com o coronel Golúbenko, numa reunião, em presença de senhoras, entre as quais a dama do seu coração; considerou-se ofendido, mas engoliu a ofensa e calou-se; nesse ínterim, Golúbenko surripiou-lhe a dama em questão e pediu-a em casamento. E o que pensa? Esse Livtzóv tornou-se amigo íntimo de Golúbenko, fez completamente as pazes, e ainda pediu para ser seu padrinho e segurou-lhe a coroa durante a cerimônia. Depois, já em casa da noiva, foi cumprimentar e beijar Golúbenko, e — em presença de toda a distinta sociedade, do governador mesmo — ele, de fraque e cabelos frisados, deu uma facada na barriga do noivo, e Golúbenko se esparramou no chão! Imagine, o próprio padrinho, que vergonha! E ainda não é tudo! O principal está em que, depois de esfaqueá-lo, lançou-se em direção dos que o rodeavam: "Ah, que fiz eu?! Ah, que fiz eu?!". As lágrimas corriam-lhe, e ele tremia, atirava-se ao pescoço de todos, até das senhoras: "Ah, o que eu fiz?! Ah, o que fiz eu agora!". Eh, eh, eh! Era de rebentar de rir. Apenas, fica-se com dó de Golúbenko. Aliás, conseguiu restabelecer-se.

— Não compreendo por que me contou isso — observou Vieltchâninov severamente, o cenho franzido.

— Mas justamente por causa da facada — Páviel Pávlovitch deu um risinho. — Vê-se bem que não era um tipo, mas um fedelho, pois que o medo lhe fez esquecer a própria de-

O eterno marido

101

cência, e ele se jogou ao pescoço das senhoras, em presença do governador. Assim mesmo deu a facada, atingiu o que queria! Era só isso que eu pretendia dizer.

— Vá para o diabo que o carregue — urrou de súbito Vieltchâninov, com uma voz que não era a sua, como se algo rebentasse dentro dele. — Vá para o inferno com esta sua ignomínia subterrânea! Você é mesmo uma ignóbil criatura do subsolo! Quis assustar-me, torturador de criança, criatura infame, miserável, miserável, miserável! — pôs-se a exclamar, fora de si, perdendo o fôlego após cada palavra.

Páviel Pávlovitch estava completamente transtornado; passou-lhe até a embriaguez. Tremeram-lhe os lábios:

— É a mim que chama de miserável? *A mim*?

Mas Vieltchâninov já voltara a si.

— Estou pronto a pedir desculpas — respondeu ele, depois de um curto silêncio, taciturno e pensativo —, mas apenas se você mesmo se dispuser imediatamente a agir com franqueza.

— No seu lugar, eu simplesmente me desculparia, Aleksiéi Ivânovitch.

— Está bem, seja. — Vieltchâninov fez mais uma curta pausa. — Peço-lhe desculpas; mas convenha comigo, Páviel Pávlovitch, que, depois de tudo isso, não me considero mais obrigado a nada em relação a você, isto é, falo a respeito do caso *todo*, e não apenas da circunstância atual.

— Não faz mal, para que prestar contas? — sorriu maliciosamente Páviel Pávlovitch, olhando, aliás, para o chão.

— E, se assim é, tanto melhor, tanto melhor! Acabe de tomar a sua bebida e deite-se, pois, apesar de tudo, não o deixarei ir embora...

— Que importa a bebida?... — Páviel Pávlovitch pareceu um tanto confuso, mas aproximou-se da mesa e pôs-se a esvaziar o último copo, há muito tempo cheio.

É possível que já tivesse bebido em abundância, pois a mão tremia-lhe e ele deixou cair um pouco de bebida no chão, na camisa e no colete. Assim mesmo, bebeu até ver o fundo do copo, como se lhe fosse impossível deixar um pouco sequer. Colocando respeitosamente sobre a mesa o copo vazio, caminhou submisso em direção do leito, para se despir.

— Não seria melhor... não passar aqui a noite? — perguntou de repente por algum motivo, segurando uma bota que acabara de tirar.

— Não, não é melhor! — respondeu enfurecido Vieltchâninov, que estava caminhando incessantemente pelo quarto, sem olhar para o outro.

Páviel Pávlovitch despiu-se e deitou-se. Um quarto de hora depois, Vieltchâninov também se deitou e apagou a vela.

Foi adormecendo aos sobressaltos. Inquietava-o agora algo novo, surgido de alguma parte, e que tornara ainda mais confuso o seu *caso*. Ao mesmo tempo sentia que, por algum motivo, tinha vergonha desse sobressalto. Começara já a perder a noção das coisas, quando de súbito um ligeiro ruído o despertou. Lançou imediatamente um olhar ao leito de Páviel Pávlovitch. Estava escuro no quarto (os reposteiros achavam-se totalmente cerrados), e teve a impressão de que Páviel Pávlovitch não estava mais deitado, mas sentado no leito.

— Que tem?! — interpelou-o Vieltchâninov.

— Uma sombra — disse quase imperceptivelmente Páviel Pávlovitch, depois de esperar um pouco.

— O quê? Que sombra?

— Lá, naquele quarto; vi na porta como que uma sombra.

— A sombra de quem? — perguntou Vieltchâninov, após um curto silêncio.

— De Natália Vassílievna.

Vieltchâninov pôs os pés sobre o tapete e olhou também, através da saleta de entrada, para o quarto cuja porta estava sempre aberta. Ali, as janelas não tinham reposteiros, mas apenas estores, e, por isso, tudo estava muito mais claro.

— Não há nada naquele quarto, e você está bêbado, deite-se! — disse Vieltchâninov, deitando-se e enrolando-se

O eterno marido

no cobertor. Páviel Pávlovitch não disse palavra e deitou-se também.

— E, antes, você nunca viu esta sombra? — perguntou-lhe de repente Vieltchâninov, uns dez minutos depois.

— Uma vez parece que vi — respondeu Páviel Pávlovitch, com voz fraca e também com certa demora. Seguiu-se novo silêncio.

Vieltchâninov não poderia dizer com certeza se dormira ou não, mas, aproximadamente uma hora depois, tornou a voltar-se: não sabia também se algum ruído ligeiro o acordara de novo, mas teve a impressão de que, em meio à treva absoluta, havia algo acima dele, algo branco, que não se aproximava totalmente, mas que já se achava no meio do quarto. Sentou-se no leito e passou um minuto prestando atenção.

— É você, Páviel Pávlovitch? — disse, com voz enfraquecida. E a sua voz, que ressoou de repente no silêncio e na treva, pareceu-lhe estranha.

Não recebeu resposta, mas não havia mais nenhuma dúvida sobre o fato de que alguém estava parado ali.

— É você... Páviel Pávlovitch? — repetiu com mais força e, mesmo, tão alto que, se Páviel Pávlovitch estivesse dormindo tranquilamente em seu leito, na certa acordaria, dando uma resposta.

Mais uma vez, ninguém respondeu. Todavia, pareceu-lhe que aquela figura branca, a custo perceptível, aproximara-se dele ainda mais. A seguir, aconteceu algo estranho: alguma coisa pareceu romper-se dentro dele, tal como sucedera havia pouco, e ele gritou com todas as forças, com a voz mais absurda, enfurecida, sufocando quase a cada palavra:

— Se ousa ao menos pensar, palhaço bêbado, que pode assustar-me, viro-me para a parede, enrolo-me até a cabeça, e não me voltarei durante toda a noite, para lhe mostrar quanto o desprezo... mesmo que fique assim até de manhã... como um palhaço... E ainda lhe cuspo em cima!

E, tendo cuspido furiosamente em direção do suposto Páviel Pávlovitch, voltou-se de repente para a parede, enrolou-se, como dissera, no cobertor e ficou como que petrificado nessa posição. Seguiu-se um silêncio mortal. Não podia saber se a sombra se aproximava ou se se mantinha parada no mesmo lugar, mas seu coração batia, batia, batia... Passaram-se pelo menos cinco minutos contados; e, de súbito, ressoou, a dois passos, a voz fraca e toda queixosa de Páviel Pávlovitch:

— Eu, Aleksiéi Ivânovitch, levantei-me para procurar... (e ele citou um objeto doméstico extremamente necessário). Não o achei junto ao meu leito... e queria procurá-lo, sem barulho, perto do seu.

— Mas por que se calou... quando eu gritei? — perguntou Vieltchâninov, a voz estrangulada, após meio minuto de silêncio.

— Assustei-me... Você gritou assim... e eu fiquei assustado.

— Está naquele canto à esquerda, perto da porta, no armariozinho, acenda uma vela...

— Mas eu me arranjo também sem vela... — disse humildemente Páviel Pávlovitch, dirigindo-se para o canto indicado. — Desculpe-me, Aleksiéi Ivânovitch, por tê-lo inquietado assim... Fiquei, de súbito, completamente embriagado...

Vieltchâninov, porém, não respondeu mais nada. Continuava deitado de rosto para a parede e assim passou o resto da noite, sem se virar uma só vez. Queria acaso cumprir assim a palavra e demonstrar o seu desdém? Ele mesmo não sabia o que lhe estava sucedendo; a sua excitação nervosa transformara-se, finalmente, quase em delírio, e levou muito tempo para adormecer. Acordando depois das nove da manhã, ergueu-se de um salto e sentou-se no leito, como se alguém lhe desse um empurrão. Mas Páviel Pávlovitch não estava mais no quarto! Ficara somente o leito vazio, desarrumado; escapulira cedinho.

— Bem que eu sabia! — e Vieltchâninov deu um tapa na própria testa.

O eterno marido   105

10.
NO CEMITÉRIO

Os receios do médico se confirmaram, e Lisa piorou subitamente, muito mais do que Vieltchâninov e Clávdia Pietrovna esperavam na véspera. De manhã, Vieltchâninov encontrou a enferma ainda consciente, embora a febre a consumisse. Mais tarde, asseguraria a si próprio que ela lhe sorrira e até lhe estendera a mãozinha escaldante. Não teve tempo de verificar se era verdade ou se apenas inventara aquilo, involuntariamente, para se consolar. Ao anoitecer, já ela estava inconsciente, e assim ficou durante todo o tempo da doença. Morreu no décimo dia da sua mudança para a casa de campo.

Foi um período muito doloroso para Vieltchâninov; os Pogoriéltzev chegavam a temer por ele. Passou em casa deles a maior parte daqueles dias penosos. Nos derradeiros dias da doença de Lisa, ficava horas inteiras sentado em algum canto e, aparentemente, não pensava em nada. Clávdia Pietrovna acercava-se dele para distraí-lo, mas ele mal lhe respondia, sendo-lhe, às vezes, evidentemente penoso conversar com ela. Clávdia Pietrovna certamente não esperava que "tudo aquilo lhe causasse tamanha impressão". As crianças distraíam-no mais que tudo; às vezes, chegava a rir com elas; mas, quase a toda hora, erguia-se da cadeira e ia ver a doente, na ponta dos pés. Parecia-lhe às vezes que ela o reconhecia. Como os demais, não tinha nenhuma esperança de cura. Todavia, não se afastava do quarto em que Lisa estava morrendo; habitualmente permanecia sentado no quarto contíguo.

Aliás, mesmo nesses dias, desenvolveu, umas duas vezes, uma atividade extrema: erguia-se de repente, dirigia-se a toda pressa a Petersburgo, à procura de doutores, convidava os mais famosos, a fim de constituir uma junta médica. A segunda e derradeira teve lugar na véspera do passamento. Uns três dias antes, Clávdia Pietrovna insistira com Vieltchâninov sobre a necessidade de se encontrar, finalmente, em alguma parte, o senhor Trussótzki: "No caso de uma desgraça, não se poderia, sequer, enterrar Lisa sem ele". Vieltchâninov disse molemente que haveria de lhe escrever. O velho Pogoriéltzev declarou então que ele mesmo o encontraria, por intermédio da polícia. Vieltchâninov, finalmente, escreveu uma comunicação em duas linhas e levou-a ao hotel de Pokróv. Como de costume, Páviel Pávlovitch não estava, e Vieltchâninov deixou a carta com Mária Sissóievna.

Lisa morreu, finalmente, numa bela tarde de verão, enquanto o sol se punha, e foi somente então que Vieltchâninov pareceu voltar a si. Depois que arrumaram a defunta, pondo-lhe o vestidinho branco de domingo de uma das filhas de Clávdia Pietrovna, e colocaram o corpo sobre a mesa da sala, as mãozinhas cruzadas segurando flores, ele acercou-se de Clávdia Pietrovna e, de olhos faiscantes, declarou-lhe que haveria de trazer imediatamente o "assassino". Sem ouvir os conselhos no sentido de que esperasse o dia seguinte, foi incontinenti à cidade.

Sabia onde encontrar Páviel Pávlovitch; não fora unicamente em busca de médicos que tinha ido, naqueles dias, a Petersburgo. Às vezes, parecia-lhe que, se levasse o pai até o leito da moribunda, ela haveria de voltar à vida, ouvindo a voz dele; punha-se então a procurá-lo como um desesperado. Páviel Pávlovitch continuava ocupando o mesmo quarto, mas era inútil procurá-lo ali. "Acontece-lhe passar fora três dias seguidos — informava Mária Sissóievna — e, se por acaso vem, chega bêbado, demora menos de uma hora e torna a se arrastar por aí; decaiu de uma vez." Um criado do hotel informou a Vieltchâninov, entre outras coisas, que Páviel Pávlovitch costumava, mesmo antes daquilo, visitar uma casa de mulheres na Avenida Vozniêssienski. Vieltchâninov foi no mesmo instante à procura daquelas mulheres. Depois de gratificadas e servidas de bebida, elas recordaram-se imediatamente do visitante que tinha, como sinal de referência, o chapéu com crepe; e aproveitaram a ocasião para injuriá-lo, evidentemente porque não mais voltara a vê-las. Uma delas, Cátia,[14] incumbiu-se logo de encontrar Páviel Pávlovitch a qualquer hora, "pois ele agora não sai da casa de Maschka[15] Prostakova, e o dinheiro dele parece não ter mais fim, e essa Maschka não é Prostakova e sim Prokhvóstova;[16] já esteve até em tratamento no hospital, e, se ela, Cátia, quisesse, bastaria uma palavra sua para que Maschka fosse parar na Sibéria". Todavia, Cátia não conseguira encontrar Páviel Pávlovitch daquela vez, prometendo, porém, firmemente, descobri-lo na próxima. Era nela justamente que Vieltchâninov depositava suas esperanças.

Chegando à cidade às dez horas, mandou chamá-la imediatamente e, depois de indenizar a quem de direito por sua ausência, pôs-se com ela a caminho. Ele mesmo não sabia ainda o que ia fazer com Páviel Pávlovitch: matá-lo ou comunicar-lhe simplesmente a morte da filha e a necessidade da sua participação no enterro? As primeiras buscas não tiveram êxito: soube-se que Maschka Prokhvóstova havia brigado com Páviel Pávlovitch na antevéspera, e que certo tesoureiro "quase arrancara a cabeça de Páviel Pávlovitch com uma banqueta". Para resumir, as buscas prolongaram-se e foi somente às duas da madrugada, ao sair de um estabelecimento que lhe fora indicado, que Vieltchâninov, sozinho, deu de cara com Páviel Pávlovitch.

[14] Diminutivo de Iecatierina (Catarina). (N. do T.)

[15] Diminutivo de Mária. (N. do T.)

[16] Trocadilho: Prostakova dá ideia de criatura simplória; Prokhvóstova, a de pessoa dada a velhacarias. (N. do T.)

O eterno marido

Este, completamente bêbado, estava sendo conduzido para aquele estabelecimento por duas damas. Uma delas sustenta-va-o pelo braço; atrás deles vinha um rival, corpulento e gesti-culador, que, em altos brados, fazia a Páviel Pávlovitch terrí-veis ameaças. Gritava, entre outras coisas, que o outro o "explo-rara e envenenara-lhe a vida". Tratava-se, ao que parecia, de dinheiro; as damas estavam muito assustadas e apressavam--se. Ao ver Vieltchâninov, Páviel Pávlovitch lançou-se em sua di-reção, os braços abertos, e gritando como se o esfaqueassem:

— Socorra-me, meu irmão!

À vista da compleição atlética de Vieltchâninov, o rival desapareceu num instante; Páviel Pávlovitch acenou com o punho em sua direção e berrou em sinal de vitória; nesse mo-mento, Vieltchâninov, enfurecido, agarrou-o pelos ombros e, sem saber por que, pôs-se a sacudi-lo com ambas as mãos, de modo que o outro bateu os dentes. No mesmo instante, Páviel Pávlovitch deixou de gritar e dirigiu a seu carrasco um olhar ébrio, aparvalhado e temeroso. Não sabendo provavelmente o que fazer com ele, Vieltchâninov dobrou-lhe com força o corpo e fê-lo sentar-se sobre um marco de pedra.

— Lisa morreu! — disse-lhe.

Sempre sem tirar dele os olhos, Páviel Pávlovitch conti-nuava sentado sobre o marco, amparado por uma das suas damas. Compreendeu afinal, e o seu rosto pareceu, de repente, encovar-se.

— Morreu... — murmurou com voz estranha.

Vieltchâninov não pôde distinguir se ele sorrira, em meio à embriaguez, com seu maldoso e largo sorriso, ou se algo se torcera em seu rosto. Um instante depois, Páviel Pávlovitch le-vantou com esforço a trêmula mão direita, a fim de se persig-nar; todavia, não chegou a formar a cruz e a mão trêmula des-caiu. Um pouco depois, soergueu-se lentamente do marco, agarrou-se à sua dama e, apoiando-se nela, prosseguiu em seu caminho, como que inconsciente e como se Vieltchâninov nem estivesse ali. O outro, porém, tornou a apanhá-lo pelo ombro.

— Compreendes, acaso, monstro bêbado, que sem ti não se poderá sequer enterrá-la?! — gritou ele, perdendo o fôlego.

Páviel Pávlovitch voltou a cabeça na sua direção.

— Lembra-se... de um subtenente... de artilharia? — disse, arrastando a língua, que se movia a custo.

— O quê-ê-ê? — berrou Vieltchâninov, num sobressalto doentio.

— Aí tem o pai! Procura-o... para o enterro.

— É mentira! — gritou Vieltchâninov, como um possesso. — É maldade sua... bem que eu sabia que você iria se sair com esta contra mim.

Fora de si, ergueu o punho formidável sobre a cabeça de Páviel Pávlovitch. Mais um instante e talvez o matasse com um só golpe; as damas gritaram esganiçadamente e saíram correndo, mas Páviel Pávlovitch nem sequer pestanejou. Uma expressão de raiva selvagem, desenfreada, contraiu-lhe todo o rosto.

— Você conhece acaso — disse com muito maior firmeza, quase como se não estivesse bêbado — a nossa... russa? (E proferiu uma injúria absolutamente impossível de imprimir.) Pois bem, vai para lá! — Em seguida, desembaraçou-se violentamente das mãos de Vieltchâninov, deu um passo em falso e quase caiu. As damas ampararam-no e, desta vez, correram mesmo, gritando ainda esganiçadamente, e quase arrastando Páviel Pávlovitch atrás de si. Vieltchâninov não os perseguiu.

No dia seguinte, à uma da tarde, apareceu na casa de campo dos Pogoriéltzev um funcionário entrado em anos, muito correto, com uniforme de serviço, e entregou delicadamente a Clávdia Pietrovna um embrulho endereçado a ela e enviado por Páviel Pávlovitch Trussótzki. O embrulho continha uma carta, acompanhada de trezentos rublos e dos documentos indispensáveis referentes a Lisa. Páviel Pávlovitch escrevia sucintamente, num tom muito respeitoso e em termos bem convenientes. Agradecia profundamente a Sua Excelência Clávdia Pietrovna a bondade que tivera com uma órfã; somente Deus poderia recompensá-la. Explicava muito

O eterno marido

111

vagamente que uma séria indisposição não lhe permitia ir pessoalmente sepultar a sua filha tão amada e infeliz, e que depositava toda a sua esperança na bondade angelical do coração de Sua Excelência. Os trezentos rublos destinavam-se, conforme explicava adiante, às despesas com o enterro e outras resultantes da doença. E se algo sobrasse daquele dinheiro, pedia, com toda humildade e respeito, que fosse empregado em missas pelo repouso da alma de Lisa. O funcionário que entregou a carta não pôde explicar mais nada; por algumas de suas palavras, verificou-se até que fora apenas devido à insistência de Páviel Pávlovitch que se decidira a entregar o embrulho pessoalmente a Sua Excelência. Pogoriéltzev ficou quase ofendido com a expressão "despesas resultantes da doença", e resolveu, depois de separar cinquenta rublos para o enterro — pois, de qualquer modo, não se podia proibir a um pai sepultar a filha —, devolver imediatamente os duzentos e cinquenta restantes ao senhor Trussótzki. Clávdia Pietrovna, porém, decidiu afinal devolver não os duzentos e cinquenta rublos, mas um recibo da igreja do cemitério, sobre o recebimento daquele dinheiro, para missas pela alma da jovem Ielisavieta. O recibo foi, depois, passado a Vieltchâninov, para que o entregasse incontinenti. Ele enviou-o então pelo correio, para o hotel.

Depois do enterro, ele desapareceu da casa de campo. Ficou duas semanas a fio vagando pela cidade, sem rumo, sozinho, profundamente absorto, a ponto de esbarrar nos transeuntes. Outras vezes, porém, passava os dias estirado sobre o seu sofá, esquecido até das coisas mais elementares. Os Pogoriéltzev mandaram-no chamar com insistência; ele prometia ir, mas esquecia-se disso imediatamente. Clávdia Pietrovna chegou a ir pessoalmente a sua casa, mas não o encontrou. O mesmo aconteceu com o seu advogado, que todavia tinha um fato a comunicar-lhe: resolvera com muita habilidade o caso judiciário, e a parte contrária estava disposta a um acordo, mediante uma compensação, que constituía parte insignificante da herança por eles disputada. Faltava apenas o consentimento do próprio Vieltchâninov. Ao encontrá-lo finalmente em casa, o advogado ficou surpreso com a extrema indiferença e apatia daquele cliente, pouco antes tão inquieto.

Sobrevieram os dias mais quentes de julho, mas Vieltchâninov perdia a própria noção do tempo. A aflição doera-lhe no imo, como um abscesso prestes a rebentar, e aparecia-lhe a todo instante, num pensamento consciente e torturador. O seu maior sofrimento consistia em que Lisa não chegara a conhecê-lo, e morrera sem saber quão dolorosamente ele a amava! Toda a finalidade da sua vida, que lhe aparecera cercada de luz tão radiosa, apagara-se, de súbito, numa treva eterna. Essa finalidade consistiria justamente (pensava nisso agora a todo momento) em que Lisa sentisse incessantemente, todos os dias, a cada hora, o seu amor por ela. "Nenhuma pessoa tem nem pode ter objetivo mais elevado — refletia às vezes, pensativo, numa exaltação sombria. — Mesmo que existam outros objetivos, nenhum deles pode ser mais sagrado que este! O amor de Lisa — sonhava — teria purificado e resgatado a minha existência inútil e vil, e eu, ocioso, viciado, desiludido, teria preparado para a vida, em meu lugar, um ser puro e belo, por quem tudo me seria perdoado, e eu próprio também me perdoaria."

Todos estes pensamentos *conscientes* vinham-lhe indissoluvelmente acompanhados da lembrança sempre nítida, sempre presente e sempre dolorosa da criança morta. Ele revia seu pequenino rosto pálido, lembrava-se de cada uma das suas expressões; recordava-a também no caixão, coberta de flores, ou então em febre, inconsciente, os olhos abertos e imóveis. Lembrou-se de repente de que, no momento em que ela já estava sobre a mesa, notara um dedinho que enegrecera durante a doença, sabia Deus por quê; isto lhe causara tamanha impressão, e sentira tanta pena daquele pobre dedinho, que lhe viera então, pela primeira vez, a ideia de encontrar imediatamente Páviel Pávlovitch e matá-lo; até aí, porém, estivera

O eterno marido

113

"como que insensível". Teria sido o orgulho ofendido que aniquilara aquele coração de criança ou foram os três meses de sofrimentos causados pelo pai, que substituíra de repente o seu amor por ódio, que a ofendera com uma palavra de opróbrio, que tripudiara sobre o seu medo e que, finalmente, se desfizera dela, deixando-a em mãos de estranhos? Não cessava de pensar em tudo isso, variando-o de mil maneiras. "Sabe o que Lisa significava para mim?" — lembrou-se de repente da exclamação do bêbado Trussótzki, e sentiu que aquela exclamação não constituía apenas manha, mas que era autêntica, que era amor. "Mas como pôde esse monstro ser tão cruel com a criança que tanto amava? Será possível?" Mas, de cada vez, apressava-se a rejeitar essa pergunta e parecia afastá-la com a mão; nessa pergunta havia algo terrível, algo que lhe era insuportável e... indecifrado.

Um dia, quase inconscientemente, dirigiu-se para o cemitério em que Lisa fora enterrada e procurou o seu tumulozinho. Desde o enterro, não estivera ali uma vez sequer; tinha sempre a impressão de que seria sofrimento demasiado, e não se atrevia a ir lá. Mas, fato estranho, quando se encostou à tumba e a beijou, sentiu-se de súbito aliviado. Era uma tarde límpida, o sol declinava; ao redor, junto aos túmulos, crescia erva viçosa e verde; uma abelha zunia perto, num tufo de roseira-brava; as flores e coroas deixadas sobre o túmulo de Lisa, após o enterro, pelas crianças e por Clávdia Pietrovna, jaziam ali, meio desfolhadas. Depois de muito tempo, uma espécie de esperança chegou a refrescar-lhe, pela primeira vez, o coração. "Que alívio!" — pensou, sentindo aquela quietude do cemitério e olhando o céu límpido e tranquilo. Inundou-lhe a alma um jorro de pura e serena fé em algo. "Foi Lisa quem me enviou isto, é ela que está falando comigo" — pensou.

Já escurecia completamente quando saiu do cemitério, de volta para casa. Não longe do portão, junto à estrada, havia, numa casinhola baixa de madeira, uma espécie de taverna; pelas janelas abertas, viam-se os fregueses sentados às mesas.

Vieltchâninov teve de repente a impressão de que um deles, bem perto da janela, era Páviel Pávlovitch, e que também o estava vendo e examinando com curiosidade pela janelinha. Continuou em seu caminho e, pouco depois, percebeu que alguém tentava alcançá-lo; de fato, Páviel Pávlovitch corria atrás dele; provavelmente, a expressão apaziguadora do rosto de Vieltchâninov atraíra-o e o animara, ao observá-lo através da janelinha. Alcançando-o, sorriu timidamente, mas não era mais o seu sorriso bêbado; não estava sequer embriagado.

— Boa noite — disse ele.

— Boa noite — respondeu Vieltchâninov.

11.
PÁVIEL PÁVLOVITCH SE CASA

Mal pronunciou aquele "boa noite", Vieltchâninov ficou, ele próprio, surpreendido. Pareceu-lhe terrivelmente estranho que a presença daquele homem não lhe provocasse nenhum rancor, e que em seu ânimo houvesse, nesse momento, algo completamente diverso e, mesmo, certa tendência para um novo sentimento.

— Que noite agradável! — disse Páviel Pávlovitch, olhando-o nos olhos.

— Você ainda não partiu? — Vieltchâninov pareceu não fazer uma pergunta, mas simplesmente refletir em algo, continuando o seu caminho.

— Houve atraso, mas consegui a vaga, e com uma promoção. Vou partir certamente depois de amanhã.

— Conseguiu a vaga? — desta vez Vieltchâninov formulou realmente a pergunta.

— E por que não? — Páviel Pávlovitch fez de repente uma careta.

— Falei à toa... — atalhou Vieltchâninov. E, franzindo o cenho, olhou Páviel Pávlovitch de soslaio. Para surpresa sua, o traje, o chapéu com crepe e todo o aspecto exterior do senhor Trussótzki eram muito mais decentes que duas semanas antes. "Que fazia naquela tasca?" — não cessava ele de pensar.

— Tencionava, Aleksiéi Ivânovitch, comunicar-lhe uma outra grande alegria minha — começou novamente Páviel Pávlovitch.

O eterno marido

117

— Uma alegria?

— Estou me casando.

— Como?

— Após o sofrimento, a alegria; é sempre assim na vida; eu, Aleksiéi Ivânovitch, gostaria muito... mas... não sei, você talvez tenha pressa agora, pois o seu aspecto...

— Sim, estou apressado e... sim, não me sinto bem.

De repente, teve uma vontade louca de se desembaraçar do companheiro; a tendência para um certo sentimento novo desaparecera subitamente.

— Pois eu gostaria...

Páviel Pávlovitch não chegou a dizer do que ele gostaria; Vieltchâninov permaneceu calado.

— Nesse caso, será mais tarde, se nos encontrarmos ainda uma vez...

— Sim, sim, mais tarde, mais tarde — balbuciou rapidamente Vieltchâninov, sem olhar para Páviel Pávlovitch e sem se deter. Houve nova pausa. Páviel Pávlovitch continuava a caminhar ao seu lado.

— Nesse caso, até à vista — disse ele finalmente.

— Até à vista; desejo-lhe...

Vieltchâninov regressou para casa, de novo completamente mal-humorado. O encontro com "aquele indivíduo" estava realmente acima das suas forças. Ao deitar-se, pensou mais uma vez: "Que fazia ele perto do cemitério?".

Na manhã seguinte, decidiu-se, por fim, a ir à casa dos Pogoriéltzev; resolveu-se a isso, embora contrariado; toda manifestação de simpatia era-lhe demasiado penosa, mesmo que viesse dos Pogoriéltzev. No entanto, eles estavam tão inquietos a seu respeito, que era absolutamente necessário ir lá. Teve de súbito a impressão de que sentiria, por algum motivo, muita vergonha ao tornar a vê-los. "Ir ou não ir?" — pensava ele apressando-se a terminar o almoço, quando, de repente, para grande espanto seu, Páviel Pávlovitch entrou em sua casa.

118   Fiódor Dostoiévski

Apesar do encontro da véspera, Vieltchâninov não podia sequer imaginar que aquele homem fosse algum dia novamente à sua casa; ficou tão perplexo, que o olhou sem saber o que dizer. Mas Pável Pávlovitch foi o primeiro a tomar uma atitude: cumprimentou-o e sentou-se naquela mesma cadeira que ocupara três semanas antes, quando o visitara pela última vez. Vieltchâninov lembrou-se de repente daquela visita com uma nitidez extraordinária. E pôs-se a olhar o visitante com inquietação e repulsa.

— Está admirado? — começou Pável Pávlovitch, que adivinhara a significação daquele olhar.

De modo geral, parecia muito mais desembaraçado que na véspera, e, ao mesmo tempo, percebia-se que estava ainda mais intimidado. O seu aspecto exterior era particularmente curioso. O senhor Trussótzki vestia-se de maneira não apenas correta, mas até elegante: paletó leve de verão, calças claras, colantes, e colete claro; as luvas, o lornhão de ouro, que lhe aparecera sabe Deus por que, a camisa, eram irrepreensíveis; perfumara-se, até. Em todo o seu vulto havia também algo de ridículo e que, ao mesmo tempo, incutia certo pensamento estranho e desagradável.

— Naturalmente, Aleksiéi Ivânovitch — prosseguiu ele, curvando-se —, deixei-o espantado com a minha visita; lamento-o, mas, entre as pessoas, creio eu, sempre existe e, a meu ver, deve mesmo existir sempre algo superior, não é verdade? Isto é, superior a todas as condições e, mesmo, às próprias circunstâncias desagradáveis que possam sobrevir... não é mesmo?

— Pável Pávlovitch, diga tudo mais depressa e sem cerimônia — Vieltchâninov franziu o sobrolho.

— Em duas palavras — apressou-se Pável Pávlovitch —, caso-me e vou, agora, visitar a minha nova noiva. Eles também estão numa casa de campo. Eu gostaria de ter a grande honra de ousar apresentá-lo àquela família, e venho agora com o pedido inaudito (Pável Pávlovitch baixou a cabeça com ar submisso) de que vá comigo...

O eterno marido

119

— Acompanhá-lo aonde? — Vieltchâninov arregalou os olhos.

— À casa deles, isto é, à casa de campo. Desculpe, falo como se estivesse febril, e é possível que tenha feito confusão; mas eu temo tanto a sua recusa...

Lançou a Vieltchâninov um olhar lastimoso.

— Quer que eu o acompanhe agora à casa da sua noiva? — disse Vieltchâninov, examinando-o rapidamente e não acreditando no que via e ouvia.

— Sim — Páviel Pávlovitch ficou, de súbito, extremamente intimidado. — Não se zangue, Aleksiéi Ivânovitch, não se trata de uma insolência; eu lhe peço humildemente, como algo inaudito. Imaginei que, talvez, não me recusaria isso...

— Em primeiro lugar, isso é simplesmente impossível — Vieltchâninov agitou-se inquieto.

— É apenas um desejo muito ardente de minha parte — continuou a implorar o outro. — Não vou esconder também que existe nisso um motivo. Mas eu gostaria de falar sobre isto somente mais tarde, e por enquanto peço-lhe apenas, de modo inesperado...

E até se levantou da cadeira, em sinal de respeito.

— Em todo caso, isso é realmente impossível, há de convir... — Vieltchâninov também se levantou.

— É muito possível, Aleksiéi Ivânovitch; eu pretendia apresentá-lo como um amigo; e, depois, mesmo sem isso, você conhece aquela família, pois estou indo à casa de campo de Zakhlébinin, do conselheiro de Estado Zakhlébinin.

— Como assim? — exclamou Vieltchâninov.

Era aquele mesmo conselheiro de Estado que ele, cerca de um mês antes, procurara com insistência e não conseguira encontrar em casa, e que atuara no seu processo, como se verificara depois, a favor da parte contrária.

— Ora, ora — sorria Páviel Pávlovitch, parecendo animado com a profunda surpresa de Vieltchâninov —, aquele mesmo, deve estar lembrado, você ia caminhando com ele, conversando, e eu o observava da outra calçada. Esperava que você se afastasse, para acercar-me dele. Há uns vinte anos fomos até colegas de repartição, mas, daquela vez, quando quis acercar-me dele, ainda não tinha nenhum projeto em mente. Faz pouco tempo que este me surgiu de chofre, cerca de uma semana atrás.

— Mas, diga-me, se não me engano trata-se de uma família às direitas, não? — fez Vieltchâninov com ingenuidade.

— E por que não, se é às direitas? — Páviel Pávlovitch fez uma careta.

— Não, naturalmente, não era bem o que eu queria dizer... mas, conforme pude observar estando lá...

— Eles se lembram, eles se lembram da sua visita — Páviel Pávlovitch aproveitou alegremente a deixa. — Apenas, você não pôde ver então a família; mas ele está lembrado e tem consideração por você. Eu falei de você nos termos mais respeitosos.

— Mas como, se enviuvou há três meses apenas?

— Mas o casamento não é para já; vai realizar-se dentro de nove a dez meses, de modo que terá passado exatamente um ano de luto. Creia-me que está tudo direito... Em primeiro lugar, Fiedossiéi Pietróvitch conhece-me, até, desde a infância, conhecia a minha falecida esposa, sabe da vida que levei, de como era considerado, e além do mais tenho alguns bens e, agora, ainda fui promovido no serviço; naturalmente, tudo isso é levado em conta.

— É, então, uma filha dele?

— Vou contar-lhe tudo isso em pormenor — Páviel Pávlovitch encolheu-se, com expressão satisfeita. — Dá licença de fumar um cigarrinho? Aliás, você mesmo verá hoje. Em primeiro lugar, pessoas competentes como Fiedossiéi Pietróvitch são às vezes muito consideradas no serviço, aqui em Petersburgo, quando chegam a fazer-se notar. Mas, além dos vencimentos e do resto — abonos, gratificações, complementações, ajudas de custo e diárias —, não há mais nada, isto é, nada de sólido que possa constituir capital. Vive-se bem, mas, com família, não se pode guardar nada de lado. Pense bem: Fiedossiéi Pietróvitch tem oito filhas moças e apenas um filho de pouca idade. Se morresse agora, eles ficariam com uma pensão magrinha. E além disso, estão aí as oito moças; não, pense bem, pense bem: só em sapatos para cada uma, quanto não se gastará? Das oito moças, cinco já estão noivas, a mais velha tem vinte e quatro anos (moça encantadora, você mesmo há de ver!) e a menor, que tem quinze, ainda está no ginásio. É preciso encontrar marido para as cinco mais velhas, e isso requer grande cuidado; o pai deve começar por apresentá-las à sociedade. Já pensou na despesa que isto significa? E eis que eu apareço, o primeiro pretendente, e já conhecido da família, isto é, sabendo-se que possuo realmente alguns bens. Eis tudo.

Páviel Pávlovitch dava explicações numa espécie de embriaguez.

— Ficou noivo da mais velha?

— Não, eu... não é a mais velha; pedi a mão da sexta, daquela que ainda está no ginásio.

— Como? — sorriu involuntariamente Vieltchâninov. — Mas você disse que ela tem quinze anos!

— São quinze agora; mas daqui a nove meses terá dezesseis, dezesseis anos e três meses, e, nesse caso, por que não? E, visto que, no momento atual, isso não seria de bom-tom, por enquanto não se anunciou nada, tudo ficou apenas combinado com os pais... Creia-me que está tudo direito.

— Quer dizer que ainda não ficou tudo decidido?

— Não, está tudo decidido. Creia-me que está tudo direito.

— E ela sabe?

— Quer dizer, por uma questão de decência, fingem nem falar sobre o caso, mas como ela pode ignorar? — Páviel Pávlovitch entrecerrou os olhos com expressão de agrado. — E então, Aleksiéi Ivânovitch, vai me dar essa alegria? — concluiu ele extremamente intimidado.

— Mas para que iria eu lá? Aliás — acrescentou apressado —, visto que, de qualquer modo, não irei, não me apresente nenhuma razão.

— Aleksiéi Ivânovitch...

— Como posso eu sentar-me a seu lado num carro? Pense bem!

Voltara-lhe uma sensação de repulsa e desgosto, depois de uma distração momentânea provocada pela tagarelice de Páviel Pávlovitch sobre a noiva. Um momento mais e, segundo parecia, Vieltchâninov iria pô-lo no olho da rua. Estava até, por algum motivo, enfurecido consigo mesmo.

— Sente-se, Aleksiéi Ivânovitch, sente-se ao meu lado, e não se arrependerá! — implorava Páviel Pávlovitch com voz comovida. — Não, não, não! — agitou os braços ao perceber um gesto impaciente e decidido de Vieltchâninov. — Aleksiéi Ivânovitch, Aleksiéi Ivânovitch, espere um pouco, antes de tomar uma decisão! Vejo que me interpretou mal, possivelmente: sei muito bem que não podemos ser companheiros; não sou tão estúpido que não o compreenda. E este favor que lhe peço não o obriga a nada no futuro. Além do mais, vou partir definitivamente depois de amanhã; quer dizer, será como se nada tivesse acontecido. Que este dia seja apenas um episódio. Vindo aqui, baseei toda a minha esperança na nobreza dos seus sentimentos, Aleksiéi Ivânovitch, precisamente naqueles mesmos sentimentos que, ultimamente, puderam ser despertados em seu coração... Parece que falo claramente, ou ainda não?

A agitação de Páviel Pávlovitch cresceu desmesuradamente. Vieltchâninov olhava-o de modo estranho.

— Está pedindo certo favor da minha parte — disse ele pensativo — e insiste tanto que me dá motivos para desconfiança; quero saber mais.

— Todo o favor consiste apenas em que vá comigo. E, depois, ao voltarmos, hei de expor-lhe tudo, como em confissão. Aleksiéi Ivânovitch, confie em mim!

Mas Vieltchâninov obstinava-se em sua recusa, ainda, e tanto mais quanto percebia em si um pensamento penoso, mau. Esse pensamento agitara-se dentro dele havia muito tempo já, desde o início, quando Páviel Pávlovitch apenas lhe comunicara o noivado: fosse por mera curiosidade, fosse por uma atração ainda de todo indefinida, algo o impelia a... ceder. E quanto maior era o impulso, mais ele se defendia. Estava sentado, apoiado no braço, e pensava. Páviel Pávlovitch rondava-o e implorava o seu assentimento.

— Está bem, irei — concordou de súbito, erguendo-se, inquieto e quase sobressaltado. Páviel Pávlovitch ficou muito contente.

— Contudo, Aleksiéi Ivânovitch — dizia ele, saltitando ao redor de Vieltchâninov, que se vestia —, peço-lhe que se vista com elegância, como sabe fazer.

"E por que ele mesmo se mete nisso? Homem estranho..." — pensava Vieltchâninov.

— Mas não é apenas este favor que eu espero, Aleksiéi Ivânovitch. Já que concordou, seja agora o meu conselheiro.

— Por exemplo?

— Por exemplo, num ponto importante: o crepe. O que será mais conveniente, tirar o crepe ou ir com ele?

— Como queira.

— Não, quero a sua decisão; como agiria no meu caso, isto é, se usasse crepe? A minha ideia era que, se eu o conservasse, isso indicaria constância de sentimentos, e, por conseguinte, me recomendaria bem.

— Tire-o, está claro.

— Está claro? — Páviel Pávlovitch ficou pensativo. — Não, seria melhor conservá-lo...

— Como queira.

"No entanto, não confia em mim; isto é bom" — pensou Vieltchâninov.

Saíram; Páviel Pávlovitch examinava satisfeito Vieltchâninov, que se vestira a caráter; o seu rosto parecia expressar até mais respeito e importância. Vieltchâninov surpreendia-se com ele e ainda mais consigo mesmo. Ao portão, esperava-os uma caleça magnífica.

— Providenciou até uma caleça? Estava, portanto, certo de que eu iria?

— Aluguei a caleça para mim mesmo, mas estava quase certo de que viria comigo — respondeu Páviel Pávlovitch, com o ar de um homem completamente feliz.

— Eh, Páviel Pávlovitch! — riu Vieltchâninov, algo irritadiço, depois que se sentaram no carro e partiram. — Não estará confiando demais na minha pessoa?

— Mas não lhe cabe, Aleksiéi Ivânovitch, não lhe cabe por causa disso chamar-me de imbecil — respondeu Páviel Pávlovitch, firmemente e com voz compenetrada.

"E Lisa?" — pensou Vieltchâninov e, no mesmo instante, afugentou a ideia, como se receasse cometer algum sacrilégio. E, de repente, teve a impressão de que ele próprio era tão mesquinho, tão insignificante naquele momento, pareceu-lhe que o pensamento que o tentara era um pensamento tão miúdo, tão miseravelzinho... que sentiu novamente ímpeto de largar tudo e, naquele mesmo instante, sair da caleça, ainda que se tornasse necessário bater em Páviel Pávlovitch. Mas o outro se pôs a falar, e a tentação apossou-se novamente do coração de Vieltchâninov.

— Aleksiéi Ivânovitch, entende de joias?

— Que joias?

— Brilhantes.

— Entendo.

— Eu gostaria de levar um presentinho. Aconselhe-me: devo ou não?

— A meu ver, não deve.

— Mas eu tinha tanta vontade de levar — Páviel Pávlovitch mexeu-se no assento. — Mas o que devo comprar? Uma guarnição completa, quer dizer, broche, brincos e pulseira, ou apenas uma coisinha?

O eterno marido

125

— Quanto pretende gastar?

— Uns quatrocentos ou quinhentos rublos.

— Uh!

— É muito? — inquietou-se Páviel Pávlovitch.

— Compre uma pulseira de cem rublos.

Páviel Pávlovitch até se ofendeu. Tinha muita vontade de gastar mais e comprar "todo" o conjunto. Insistiu. Entraram numa loja. Acabou, porém, comprando apenas uma pulseira, não aquela que desejara, mas a indicada por Vieltchâninov. Páviel Pávlovitch quisera levar ambas. Quando o comerciante, que pedira cento e setenta e cinco rublos pelo objeto, deixou-o por cento e cinquenta, ele sentiu-se até contrariado; teria pago duzentos com todo o gosto, se pedissem, pois tinha muita vontade de gastar.

— Não faz mal que eu me apresse assim com os presentes — desabafou, em meio à exaltação, depois que o carro tornou a partir. — Lá não é alta sociedade, lá é tudo simples. A inocência gosta de presentinhos — teve um sorriso ladino e alegre. — Você fez há pouco um muxoxo, Aleksiéi Ivânovitch, porque ela tem quinze anos; mas foi isso justamente que impressionou a minha imaginação, precisamente o fato de que ainda frequenta o ginásio, de sacola na mão, com caderninhos e peninhas, eh, eh! Foi justamente a sacola que me enfeitiçou. Sou pela inocência, Aleksiéi Ivânovitch. Risadinhas com uma companheira pelos cantos, e que risadinhas, oh meu Deus! E a propósito de quê? Simplesmente porque um gatinho saltou da cômoda para a caminha, e aí se enrolou como um novelo... Isso recende a maçãzinha fresca! Não seria melhor tirar o crepe?

— Como queira.

— Vou tirá-lo! — Tirou o chapéu, arrancou o crepe e o jogou fora. Vieltchâninov viu que o seu rosto luziu com a mais radiosa esperança, quando ele tornou a colocar o chapéu sobre a cabeça calva.

"Mas será possível que ele seja realmente assim? — pensou, presa de verdadeiro rancor. — Não haverá *algo* no fato de ele ter-me convidado? Contará realmente com a minha generosidade? — prosseguiu imaginando, quase ofendido com esta última suposição. — Será ele um palhaço, um imbecil, ou um 'eterno marido'? Enfim, torna-se até impossível!..."

12.
EM CASA DOS ZAKHLÉBININ

Os Zakhlébinin eram realmente "uma família às direitas" — como se expressara havia pouco Vieltchâninov — e o próprio Zakhlébinin, um funcionário bem distinto, até pela aparência exterior. Também era verdade tudo o que Páviel Pávlovitch dissera sobre os seus recursos: "Parece que vivem bem, mas, se o homem morrer, não ficará nada".

O velho Zakhlébinin recebeu Vieltchâninov muito calorosamente, e o "inimigo" de tempos atrás transformou-se inteiramente em amigo.

— Felicito-o, é melhor assim — declarou logo às primeiras palavras, em tom amável, se bem que altivo. — Eu mesmo insisti numa solução amigável, e Piotr Kárlovitch (advogado de Vieltchâninov) é um homem precioso para essas coisas. E então? O senhor vai receber uns sessenta mil, e isso sem preocupações, sem delongas, sem brigas! E o caso podia durar três anos!

Vieltchâninov foi apresentado, imediatamente, também a *madame* Zakhlébinina, senhora de meia-idade, bem obesa, de ar cansado e um tanto rude. Foram aparecendo também as moças, uma após outra, ou aos pares. Eram muitas; pouco a pouco, reuniram-se ali dez ou doze; Vieltchâninov não conseguiu sequer contá-las; umas entravam, outras saíam. Entre elas, havia, porém, muitas vizinhas, companheiras de veraneio. A casa de campo dos Zakhlébinin, grande, de madeira, de estilo desconhecido, mas bizarro, tendo anexos construídos em épocas diversas, possuía um vasto jardim, para o qual tam-

O eterno marido

bém davam mais três ou quatro casas, de diferentes lados, de modo que o jardim era comum, o que, naturalmente, contribuía para a aproximação entre as moças da casa e as vizinhas. Logo às primeiras palavras, Vieltchâninov percebeu que já o esperavam ali e que a sua vinda — na qualidade de amigo de Páviel Pávlovitch que desejava travar relações — fora anunciada quase com solenidade. O seu olhar sagaz, afeito a tais situações, distinguiu ali, mesmo, algo peculiar: a recepção demasiado amável que lhe fizeram os pais e certo ar especial das moças, a par dos seus trajes (se bem que fosse dia feriado), incutiram-lhe no espírito a desconfiança de que Páviel Pávlovitch usara de esperteza, sendo muito possível que tivesse feito nascer certa esperança, embora em termos encobertos, descrevendo-o como solteirão enfastiado, "da melhor sociedade", possuidor de bens, e que, possivelmente, decidiria afinal "pôr um fim a isso" e estabelecer-se, "tanto mais que acabava de receber uma herança". Aparentemente, a mais velha das *mademoiselles* Zakhlébinin, Catierina[17] Fiedossiéievna, precisamente aquela que tinha vinte e quatro anos, e da qual Páviel Pávlovitch falara como sendo pessoa encantadora, tomara um ar apropriado para o caso. Destacava-se particularmente das irmãs pelo traje e pelo arranjo original que dera a seus bonitos cabelos. As próprias irmãs e todas as demais moças pareciam saber já, e com certeza, que Vieltchâninov viera travar relações "por causa de Cátia"[18] e para "olhá-la".[19] Esta suposição de Vieltchâninov foi confirmada, depois, pelos olhares delas e até mesmo por certas palavrinhas que deixavam escapar. Catierina Fiedossiéievna era uma loi-

[17] Corruptela de Iecatierina (Catarina). (N. do T.)

[18] Diminutivo do mesmo nome. (N. do T.)

[19] Alusão a um costume secular: feitos os primeiros ajustes pela casamenteira (ou casamenteiro), o pretendente, acompanhado de seus familiares, ia "olhar a noiva". (N. do T.)

ra alta, de uma corpulência até magnífica e rosto sumamente simpático, de gênio evidentemente doce, inativo, sonolento mesmo. "É estranho que não se tenha casado — pensou involuntariamente Vieltchâninov observando-a com agrado. — Ela não possui dote, é verdade, e em breve engordará de vez, mas ainda há tantos apreciadores disso..." As demais irmãs tampouco tinham má aparência, e, entre as amiguinhas, surgiam alguns rostinhos gentis e bonitos até. Isso começou a diverti-lo; aliás, entrara ali com certa ideia particular.

Nadiejda[20] Fiedossiéievna, a sexta, a ginasiana, a suposta noiva de Páviel Pávlovitch, fez-se esperar. Vieltchâninov aguardava-a com impaciência, fato que o surpreendia e fazia sorrir no íntimo. Ela apareceu finalmente, não sem produzir certo efeito, acompanhada de uma amiguinha, Mária Nikítischna — morena viva, desenvolta, de rosto engraçado, e de quem, conforme se viu imediatamente, Páviel Pávlovitch tinha muito medo. Essa Mária Nikítischna, moça já dos seus vinte e três anos, brincalhona, inteligente até, era governanta de duas crianças pequenas de uma família vizinha e conhecida, e havia muito tempo já que os Zakhlébinin a consideravam pessoa de casa, sendo extremamente apreciada pelas moças. Via-se que ela era, naquele momento, particularmente necessária a Nádia.[21] Vieltchâninov percebeu desde o primeiro instante que as jovens, inclusive as amiguinhas, estavam todas unidas contra Páviel Pávlovitch, e, logo após a chegada de Nádia, decidiu que também ela o *odiava*. Observou, igualmente, que Páviel Pávlovitch de modo algum notava isso, ou não queria notá-lo. Inegavelmente, Nádia era a mais bonita das irmãs: moreninha miúda, com um ar de criatura selvagem e ousadia de niilista;[22] um diabrete estouvado, olhinhos de fogo

[20] Significa "esperança". (N. do T.)

[21] Diminutivo de Nadiejda. (N. do T.)

[22] Na época, o termo fora posto em voga por Turguêniev, em relação a uma parte da juventude revolucionária russa. (N. do T.)

O eterno marido

e sorriso encantador — embora frequentemente mau —, lábios e dentes pequenos e admiráveis, fininha, esbeltazinha, com um esboço de pensamento na expressão ardente do rosto, que era, ao mesmo tempo, quase infantil. Seus quinze anos revelavam-se em cada passo, em cada palavra. Soube-se mais tarde que, realmente, Páviel Pávlovitch vira-a, pela primeira vez, segurando uma sacola de encerado; agora, porém, ela não a usava mais.

A pulseira trazida de presente não fez nenhum sucesso e causou mesmo uma impressão desagradável. Assim que viu a noiva, Páviel Pávlovitch acercou-se dela, sorrindo. Ofereceu-lhe a lembrança, pretextando "o extremo prazer experimentado por ele da vez anterior, em virtude da romança cantada por Nadiejda Fiedossiéievna ao piano...". Confundiu-se, não concluiu a frase e ficou como que atordoado, estendendo e impelindo para a mão de Nadiejda Fiedossiéievna o estojo com a pulseira, que ela não queria aceitar; rubra de vergonha e cólera, a moça recuava as mãos. Finalmente, voltou-se com insolência para a mãe, em cujo rosto se expressava perplexidade, e disse em voz alta:

— Não quero aceitar, *maman*!

— Toma-o e agradece — disse o pai, com uma severidade tranquila, mas também ele estava descontente. — Não precisava, não precisava! — balbuciou com ar de censura, dirigindo-se a Páviel Pávlovitch.

Não podendo agir de outro modo, Nádia tomou o estojo e, baixando os olhos, fez uma reverência, à maneira das meninas pequenas, isto é, lançou-se de súbito para baixo e, no mesmo instante, deu um salto, como se tivesse mola. Uma das irmãs acercou-se para ver a pulseira, e Nádia entregou-lhe o estojo ainda fechado, mostrando com isso que não queria sequer vê-la. A pulseira foi retirada e passou de mão em mão; todos a examinaram em silêncio, alguns até com ar de mofa. Somente a mãe disse, com voz fraca, que era uma pulseira bem simpática. Páviel Pávlovitch teve vontade de ser tragado pela terra.

Vieltchâninov acudiu em seu auxílio.

Pôs-se de repente a falar alto e com animação, valendo-se do primeiro pensamento que lhe acudira, e, em menos de cinco minutos, conquistou a atenção de todos os presentes. Estudara admiravelmente a arte de tagarelar em sociedade, isto é, de parecer perfeitamente simples e sincero, e manifestar, ao mesmo tempo, em todo o seu aspecto, que considerava os seus ouvintes gente tão simples e sincera como ele mesmo. Quando preciso, sabia mostrar-se, com extrema naturalidade, pessoa muito alegre e feliz. Sabia também, com muito jeito, empregar, no momento oportuno, uma palavrinha provocante e aguda, uma alusão brejeira, um trocadilho engraçado, mas fazia-o como que por acaso, sem demonstrar reflexão, embora, na realidade, o dito espirituoso, o trocadilho e a própria conversa talvez já tivessem sido preparados e memorizados desde muito tempo e postos muitas vezes em circulação. Mas, naquele momento, a própria natureza acrescentara-se à sua arte: sentia-se bem-disposto e algo o impelia; tinha a mais absoluta certeza da sua vitória e de que, minutos mais tarde, todos aqueles olhos se fixariam nele, todas aquelas pessoas haveriam de ouvi-lo, unicamente a ele, só com ele conversariam, ririam apenas com o que ele dissesse. Com efeito, risos se ouviram em seguida; pouco a pouco outras pessoas participavam também da conversação, pois ele tinha, em alto grau, o dom de atrair gente para uma conversa, e ressoavam já três ou quatro vozes, falando ao mesmo tempo. O contentamento quase iluminou o rosto enfastiado e cansado da senhora Zakhlébinina; o mesmo acontecia com Catierina Fiedossiéievna, que, encantada, ouvia e olhava. Nádia examinava-o de modo penetrante, de esguelha; percebia-se que já estava predisposta contra ele. Isso, porém, estimulou ainda mais Vieltchâninov. A "perversa" Mária Nikítischna conseguiu, todavia, introduzir na conversa um dito bem sarcástico a respeito dele: afirmou que Páviel Pávlovitch recomendara-o ali na véspera como seu amigo de infância, e, desse modo,

O eterno marido

acrescentava à sua idade, à qual fazia clara alusão, sete anos bem contados. No entanto, Vieltchâninov agradara também à perversa Mária Nikítischna. Páviel Pávlovitch ficou intrigado. Naturalmente, não fazia ideia dos meios de que dispunha o amigo e, a princípio, alegrou-se até com o seu sucesso, dando risadinhas e participando da conversa; mas, por algum motivo, começou a ficar pouco a pouco um tanto imerso em cismas, e, por fim, até em tristeza, o que transparecia nitidamente em sua fisionomia sobressaltada.

— Bem, o senhor é uma visita que não é preciso distrair — acabou decidindo alegremente o velho Zakhlébinin, levantando-se da cadeira, a fim de se recolher a seus aposentos, em cima, onde, apesar do feriado, tinha preparados alguns papéis que pretendia examinar. — E imagine que eu o considerava o mais hipocondríaco dos rapazes. Como a gente se engana!

Havia um piano de cauda no salão; Vieltchâninov perguntou quem, ali, se ocupava de música, e, de repente, dirigiu-se a Nádia.

— A senhorita canta, se não me engano.

— Quem lhe disse? — redarguiu ela, com secura.

— Páviel Pávlovitch, ainda há pouco.

— Não é verdade; canto apenas por brincadeira; não tenho voz.

— Eu também não tenho voz e, assim mesmo, canto.

— Quer dizer que cantará para nós? Nesse caso, também cantarei para o senhor — os olhinhos de Nádia cintilaram. — Mas não agora, e sim depois do jantar. Não suporto a música — acrescentou. — Estou farta desses pianos; em nossa casa, canta-se e toca-se de manhã à noite; Cátia, sozinha, já é mais do que suficiente.

Vieltchâninov aproveitou a deixa e percebeu-se que a única a estudar seriamente piano era Catierina Fiedossiéievna. No mesmo instante, dirigiu-se a ela, pedindo-lhe que tocasse algo. Aparentemente, todos ficaram contentes porque ele se dirigiu a Cátia, e *maman* chegou até a enrubescer de satisfa-

134 Fiódor Dostoiévski

ção. Catierina Fiedossiéievna levantou-se, sorrindo, caminhou para o piano e, de súbito, inesperadamente para si mesma, também ficou rubra; sentiu uma vergonha desmesurada pelo fato de que ela, tão adulta, já com vinte e quatro anos, e tão corpulenta, corasse como uma menina — e tudo isso estava escrito em seu rosto, quando se sentou ao piano. Executou com clareza certa peça de Haydn, ainda que com pouca expressão, pois estava intimidada. Quando terminou, Vieltchâninov pôs-se a falar com ela, elogiando não a sua execução, mas Haydn e, sobretudo, a peça curtinha que ela executara; aparentemente, ela sentiu-se tão bem, foi com tamanha nobreza e satisfação que ouviu aqueles elogios não a si, mas a Haydn, que Vieltchâninov, involuntariamente, olhou-a com mais carinho e atenção. "Eh, então és simpática?" — luziu em seu olhar, e todos, a começar pela própria Catierina Fiedossiéievna, pareceram compreender aquele olhar.

— Vocês têm aqui um jardim agradável, sabem? — disse ele, dirigindo-se a todos os presentes, olhando para a porta envidraçada do terraço. — Vamos todos para o jardim!

— Vamos! Vamos! — ressoaram vozes alegres e esganiçadas, como se ele tivesse adivinhado o anseio geral mais importante.

Passearam pelo jardim até a hora do jantar. A senhora Zakhlébinina, que já havia muito queria ir dormir um pouco, também não se conteve e chegou a sair, a fim de passear com os demais, mas logo se instalou prudentemente no terraço, para descansar, e cochilou no mesmo instante. No jardim, as relações entre Vieltchâninov e as moças tornaram-se ainda mais amistosas. Notou que dois ou três rapazes bem jovens, das casas vizinhas, juntaram-se ao grupo; um era universitário, outro, ginasiano ainda. Cada um deles correu imediatamente para junto da *sua* moça, e via-se que tinham vindo justamente por sua causa; o terceiro, um jovem de vinte anos, muito hirsuto e taciturno, com enormes óculos azuis, murmurava apressadamente e com ar sombrio, comentando algo com Má-

O eterno marido

ria Nikítischna e Nádia. Examinou Vieltchâninov com severidade e, segundo parecia, considerava-se no dever de tratá-lo com profundo desprezo. Algumas moças propuseram que se desse início aos jogos o quanto antes. Quando Vieltchâninov perguntou de quais gostavam, elas responderam que costumavam jogar todos, inclusive o pegador, mas naquela noite jogariam os provérbios, brincadeira em que todos se sentavam e um dos presentes afastava-se por algum tempo; os que permaneciam sentados escolhiam um provérbio, por exemplo: "Devagar se vai ao longe", e, quando o outro era chamado, cada um por vez devia dizer-lhe uma frase. O primeiro escolhia uma frase em que houvesse a palavra "devagar", o segundo, uma outra com "se" etc. O outro devia perceber todas essas palavras e, por elas, adivinhar o provérbio.

— Deve ser muito divertido — observou Vieltchâninov.

— Ah, não, é bem cacete! — responderam ao mesmo tempo duas ou três vozes.

— Outras vezes brincamos de teatro — observou Nádia, dirigindo-se a ele. — Está vendo aquela árvore grossa, rodeada por um banco? Finge-se que ali, atrás da árvore, são os bastidores, e lá se sentam os artistas, por exemplo, o rei, a rainha, a princesa, o galã; cada um escolhe o seu papel e sai quando bem entende, dizendo o que lhe vem à mente. Às vezes, resulta disso alguma coisa.

— Mas é excelente! — elogiou novamente Vieltchâninov.

— Não, é muito cacete! A princípio, a coisa sai engraçada, mas depois vira tudo uma balbúrdia, porque ninguém sabe como acabar; talvez, com o senhor, fique mais divertido. Pensávamos que o senhor fosse um amigo de Páviel Pávlovitch, mas percebe-se que ele simplesmente se vangloriou disso. Estou muito contente que o senhor tenha vindo... por causa de certa circunstância — ela olhou com muita seriedade e compenetração para Vieltchâninov, e afastou-se imediatamente para junto de Mária Nikítischna.

— Vão jogar provérbios de noite — murmurou de repente para Vieltchâninov, de modo confidencial, uma das amiguinhas, que ele até então mal notara e com quem não tinha trocado palavra. — De noite, todos vão rir de Páviel Pávlovitch; faça o mesmo.

— Ah, como foi bom o senhor ter vindo, isto aqui é tão aborrecido! — disse-lhe amistosamente outra amiguinha, que ele realmente não notara até então, e que surgira de súbito Deus sabe de onde, moça ruivinha, sardenta e com um rosto comicamente enrubescido de calor e da caminhada.

A inquietação de Páviel Pávlovitch crescia mais e mais. No jardim, Vieltchâninov acabou por aproximar-se realmente de Nádia; esta não o espiava mais de esguelha e parecia ter posto de lado a ideia de examiná-lo com atenção; todavia, gargalhava, pulava, soltava gritinhos esganiçados e, umas duas vezes, agarrara-lhe até o braço; estava extremamente feliz e continuava a não dar a menor atenção a Páviel Pávlovitch, como se não notasse a sua presença. Vieltchâninov se convenceu de que existia ali verdadeira conspiração contra Páviel Pávlovitch; Nádia, com uma chusma de moças, atraía Vieltchâninov para um lado, e outras amiguinhas, sob diversos pretextos, faziam com que Páviel Pávlovitch fosse para outro; mas este se livrava e vinha correndo, com toda a força das suas pernas, para junto deles, isto é, de Vieltchâninov e Nádia, e, de repente, colocava entre ambos a sua cabeça calva, no esforço de lhes apanhar as palavras. Por fim, perdeu até a noção das conveniências; às vezes, era surpreendente a ingenuidade dos seus gestos e movimentos. Vieltchâninov também não pôde deixar de prestar especial atenção, mais uma vez, em Catierina Fiedossiéievna; ela já percebera, naturalmente, e com clareza, que ele se mostrava demasiadamente interessado por Nádia, e que não era em absoluto por sua causa que estava ali de visita; todavia, o seu rosto continuava com a mesma expressão simpática e bonachona. Parecia até feliz pelo simples fato de estar também perto deles e ouvir o que dizia o visitante; ela mesma, coitada, era incapaz de se imiscuir habilmente na conversa.

O eterno marido

— Como é boa a sua irmã Catierina Fiedossiéievna! — disse de repente Vieltchâninov baixinho para Nádia.

— Cátia? Mas quem poderia ser melhor que ela? É o anjo de todos nós; sou apaixonada por ela — replicou Nádia com entusiasmo.

Às cinco, serviu-se o jantar, e era também bastante evidente que não se tratava de um jantar como de costume, mas que fora preparado de propósito para o visitante. Foram acrescentados ao cardápio habitual dois ou três pratos bastante engenhosos, e um deles completamente estranho, de modo que ninguém poderia sequer dizer que nome tinha. Além dos vinhos comuns de mesa, surgiu, ainda, uma garrafa de Tokai, provavelmente suscitada também pela presença do visitante; ao fim do jantar, por algum motivo, serviu-se champanhe. O velho Zakhlébinin, que havia bebido um copo a mais, estava de excelente humor e pronto a rir de tudo o que Vieltchâninov dissesse. Por fim, Páviel Pávlovitch não se conteve: movido pelo espírito de competição, decidiu de repente fazer também seu trocadilho; na extremidade da mesa, onde ele estava sentado, junto de *madame* Zakhlébinina, ouviu-se subitamente o riso álacre das moças.

— Papai! Papai! Páviel Pávlovitch fez também um trocadilho — gritaram em uníssono duas das Zakhlébinin de idade intermediária. — Diz ele que somos "moças que despertam admiração"...[23]

— Ah, também ele faz trocadilhos! Bem, o que foi que ele disse? — replicou o velho com voz grave, dirigindo-se a Páviel Pávlovitch com ar protetor, e sorrindo antecipadamente com o trocadilho esperado.

— Pois bem, diz que somos "moças que despertam admiração".

---

[23] Trocadilho em que se usa *dievítzi* (moças) e *divítza* (maravilhar-se, admirar). (N. do T.)

Fiódor Dostoiévski

— Si-im! E então? — o velho não compreendia ainda, e sorria de modo ainda mais bonachão, à espera.

— Ah, papai, então o senhor não entende? Ora, "moças" e, depois, "admirar"; as palavras são parecidas, daí: "moças que despertam admiração"...

— A-a-a-ah! — arrastou o velho, surpreendido. — Hum! Bem, da próxima vez, há de encontrar expressão mais feliz! — e ele riu alegremente.

— Mas não se pode ter todas as perfeições reunidas, Páviel Pávlovitch! — caçoou alto Mária Nikítischna. — Ah, meu Deus, ele engasgou com uma espinha! — exclamou e ergueu-se de um salto.

Iniciou-se, até, uma balbúrdia, mas era justamente o que ela desejava.

Páviel Pávlovitch engasgara simplesmente com vinho, a que se agarrara para esconder a sua confusão; Mária Nikítischna, porém, assegurava e jurava que "era uma espinha de peixe, que ela mesma vira, e que isso mata".

— Batam-lhe na nuca! — acudiu alguém.

— É, com efeito, o que há de melhor a fazer! — aprovou alto Zakhlébinin, e imediatamente surgiram também voluntárias: Mária Nikítischna, a amiguinha ruiva (convidada também para o jantar) e, finalmente, a própria dona da casa, extremamente assustada: todos queriam bater na nuca de Páviel Pávlovitch. Este erguera-se da mesa, procurava escapar-lhes e, durante um minuto contado, precisou assegurar-lhes que apenas havia engolido mal o vinho e que a tosse passaria logo; finalmente, compreendeu-se que tudo aquilo eram traquinices de Mária Nikítischna.

— Mas como és travessa! — observou *madame* Zakhlébinina a Mária Nikítischna; logo a seguir, porém, não conseguindo conter-se, soltou uma gargalhada, como raramente lhe acontecia, o que produziu também certo efeito.

Depois do jantar, todos foram tomar café no terraço.

— E que dias lindos temos agora! — o velho louvou a

natureza com benevolência, olhando com satisfação o jardim.

— Só falta uma chuva... Bem, eu vou descansar um pouco. Divirtam-se, fiquem com Deus! E você também! — acrescentou, dando, ao sair, uma pancadinha no ombro de Páviel Pávlovitch.

Quando todos desceram novamente para o jardim, Páviel Pávlovitch, de repente, correu para junto de Vieltchâninov e puxou-o pela manga.

— Um instantinho, peço-lhe — murmurou impaciente. Saíram para um atalho lateral e ermo do jardim.

— Não, desculpe; aqui, não... desta vez, eu não deixarei... — murmurou encolerizado, perdendo o fôlego, agarrado à manga de Vieltchâninov.

— O quê? Como? — perguntou este, arregalando os olhos.

Páviel Pávlovitch fitava-o em silêncio, movia os lábios, e sorriu enfurecido.

— Mas para onde vão vocês? Onde foram parar? Está tudo pronto! — chamaram as vozes impacientes das moças.

Vieltchâninov deu de ombros e voltou ao grupo. Páviel Pávlovitch corria atrás dele.

— Sou capaz de jurar que ele foi pedir-lhe um lenço — disse Mária Nikítischna. — Outro dia, ele também esqueceu.

— Esquece-o sempre! — aproveitou a deixa a Zakhlébinina do meio.

— Esqueceu o lenço! Páviel Pávlovitch esqueceu o lenço! *Maman*, Páviel Pávlovitch esqueceu novamente o lenço! *Maman*, Páviel Pávlovitch está de novo resfriado! — ressoaram algumas vozes.

— Mas por que ele não diz à gente? Como o senhor faz cerimônia, Páviel Pávlovitch! — arrastou *madame* Zakhlébinina com voz cantada. — É perigoso não dar importância a resfriados; vou mandar-lhe imediatamente um lenço. E por que ele se resfria sempre?! — acrescentou, afastando-se, contente com aquele pretexto para voltar para casa.

— Tenho dois lenços e não estou resfriado! — gritou-lhe Páviel Pávlovitch. Mas ela, evidentemente, não compreendeu, e um pouco depois, quando Páviel Pávlovitch acompanhava os demais a trote, cada vez mais perto de Nádia e Vieltchâninov, uma criada alcançou-o, ofegante, e trouxe-lhe, apesar de tudo, um lenço.

— Vamos! Vamos brincar de provérbio! — gritaram de todos os lados, como se esperassem Deus sabe o que daqueles "provérbios".

Escolheram um lugar e sentaram-se nos bancos; coube a Mária Nikítischna ser a primeira a adivinhar; exigiram que ela se afastasse o mais possível e não procurasse ouvir. Na sua ausência, escolheram um provérbio e distribuíram as palavras. Mária Nikítischna voltou e adivinhou-o num instante. O provérbio era: "O sonho é terrível, mas Deus é misericordioso".

Depois de Mária Nikítischna, foi a vez do rapaz hirsuto de óculos azuis. Exigiram dele precauções ainda maiores: teve que ficar junto do caramanchão, o rosto inteiramente voltado para o muro. O sombrio rapaz executava a sua função com desdém, e parecia até sentir certa humilhação moral. Quando o chamaram, não soube adivinhar nada; passou por todos, ouvindo duas vezes o que lhe diziam, ficou muito tempo refletindo, com ar taciturno, mas sem resultado. Zombaram dele. O provérbio era: "A oração que se faz a Deus e o serviço que se presta ao tsar nunca serão perdidos!".

— É um provérbio repugnante! — resmungou indignado o rapaz, voltando para o seu lugar.

— Ah, como é cacete! — ressoaram algumas vozes.

Chegou a vez de Vieltchâninov; esconderam-no ainda mais longe dos presentes; ele também não adivinhou.

— Ah, como é cacete! — ressoaram vozes ainda mais numerosas.

— Bem, agora vou eu — disse Nádia.

— Não, não, agora irá Páviel Pávlovitch, é a vez de Páviel Pávlovitch — gritaram todos, animando-se um pouco.

Páviel Pávlovitch foi conduzido até um canto bem junto do muro, de face voltada contra este, e, para que não voltasse

O eterno marido

o rosto, deixaram ali a ruivinha vigiando-o. Páviel Pávlovitch, já reanimado e quase alegre de novo, estava disposto a cumprir religiosamente o seu dever e, parado como um toco de árvore, olhava o muro, não ousando voltar o rosto. A ruivinha vigiava-o a vinte passos, mais perto do grupo, junto ao caramanchão, e, perturbada, piscava os olhos, trocando sinais com as moças; era evidente que todos esperavam algo, um tanto inquietos até; estava-se preparando alguma trama. De repente, a ruivinha pôs-se a agitar os braços. No mesmo instante, todos se levantaram e lançaram-se a correr desabaladamente.

— Corra, corra também! — murmuraram dez vozes, dirigindo-se a Vieltchâninov, e quase horrorizadas por ele não estar correndo.

— O que foi? O que aconteceu? — perguntou, acudindo atrás dos demais.

— Mais baixo, não grite! Deixe-o lá parado, olhando o muro, e vamos nós todos fugir daqui. Aí está Nástia,[24] correndo também.

A ruivinha (Nástia) corria a toda, como se tivesse acontecido Deus sabe o quê, e agitava os braços. Todos chegaram finalmente além da represa, na extremidade oposta do jardim. Ao chegar ali, Vieltchâninov viu Catierina Fiedossiéievna discutindo acaloradamente com todas as moças, especialmente com Nádia e Mária Nikítischna.

— Cátia, querida, não fique brava! — dizia Nádia, beijando-a.

— Ora, está bem, não vou contar a mamãe, mas sairei daqui, porque isto não está nada bem. O que o pobre não deverá sentir ali, junto ao muro.

Ela afastou-se, por compaixão, mas os demais permaneceram imperturbáveis e implacáveis como antes. Exigiram severamente de Vieltchâninov que também ele, após o regresso

---

[24] Diminutivo de Anastassia. (N. do T.)

de Páviel Pávlovitch, não lhe desse nenhuma atenção, como se nada tivesse acontecido.

— E agora vamos brincar de pegador! — gritou exaltada a ruivinha.

Páviel Pávlovitch reuniu-se ao grupo um quarto de hora depois, pelo menos. Passara junto ao muro certamente dois terços desse tempo. O jogo de pegador estava no apogeu e seu êxito era completo: todos gritavam e estavam alegres. Extremamente enfurecido, Páviel Pávlovitch correu direto para junto de Vieltchâninov e agarrou-o de novo pela manga.

— Um instantinho só!

— Meu Deus, como ele é cacete com esses seus instantinhos!

— Está pedindo novamente um lenço — gritaram em direção de ambos.

— Bem, desta vez, a culpa é sua; você é que é a causa de tudo!... — Páviel Pávlovitch até batia os dentes, ao dizer isto.

Vieltchâninov interrompeu-o e aconselhou-o, de modo apaziguador, a que se mostrasse mais alegre:

— Eles caçoam de você, justamente porque fica irritado quando todos estão alegres.

Para grande espanto seu, aquelas palavras causaram profunda impressão a Páviel Pávlovitch, que se aquietou de súbito, a ponto de voltar para junto do grupo, como se fosse culpado de algo, e tomar parte, submisso, nos jogos comuns; depois, durante um certo tempo, deixaram-no em paz, divertindo-se até com ele como com qualquer outro do grupo; em menos de meia hora, sua alegria voltara quase por completo. Em todos os jogos, Páviel Pávlovitch escolhia para seu par, quando era preciso fazê-lo, quase sempre a ruivinha traidora ou uma das irmãs Zakhlébinin. E, para maior espanto seu, Vieltchâninov notou que Páviel Pávlovitch não ousou, quase nenhuma vez, puxar conversa com Nádia, embora não cessasse de rondá-la; pelo menos aceitava, como algo obrigató-

O eterno marido

143

rio e natural, sua condição de pessoa que ela não percebia e desprezava. Contudo, lá para o fim dos jogos, pregaram-lhe nova peça.

Brincava-se de esconde-esconde. Permitia-se, porém, a quem se escondia, correr por todo o local reservado para esconderijo. Páviel Pávlovitch, que havia conseguido ocultar-se completamente dentro de uma densa moita, teve de repente a ideia de entrar de um salto na casa. Ressoaram gritos, pois ele fora notado; esgueirou-se apressadamente pela escada, para o andar intermediário; sabia de um lugarzinho ali, atrás de um armário, onde queria esconder-se. Mas a ruivinha voou atrás dele, aproximou-se da porta na ponta dos pés e fechou-a com o cadeado. No mesmo instante, todos largaram o jogo, como pouco antes, e correram novamente para a extremidade oposta do jardim, além da represa. Uns dez minutos depois, percebendo que ninguém o procurava, Páviel Pávlovitch espiou por uma janelinha. Não havia vivalma. Não se atrevia a gritar, para não acordar os velhos; a criada e a arrumadeira receberam ordens severas no sentido de não acudir ao chamado de Páviel Pávlovitch. A porta poderia ter sido aberta por Catierina Fiedossiéievna; porém, de volta a seu quarto, tendo-se sentado para devanear um pouco, ela adormecera inesperadamente. Páviel Pávlovitch ficou assim encerrado perto de uma hora. Por fim, começaram a aparecer, passando por perto, como se fora casualmente, grupos de duas a três moças.

— Páviel Pávlovitch, por que o senhor não vem para cá? Ah, é tão divertido aqui! Estamos brincando de teatro, Aleksiéi Ivânovitch foi o "moço".

— Páviel Pávlovitch, por que o senhor não vem? Estamos realmente admiradas! — observaram outras moças.

— Mas que é que está causando tanta admiração agora? — ouviu-se de repente a voz de *madame* Zakhlébinina, que acabava de acordar e decidira, finalmente, dar uma volta pelo jardim e espiar os jogos "infantis", enquanto aguardava o chá.

— Veja só, aí está Páviel Pávlovitch — indicaram-lhe a janela, em que se enquadrava, pálido de raiva e entortado por um sorriso, o rosto de Páviel Pávlovitch.

— Que prazer tem uma pessoa de ficar ali sozinha, quando todos se divertem tanto?! — e a dona da casa meneou a cabeça.

Entretanto, Vieltchâninov conseguira, finalmente, obter de Nádia uma explicação das palavras que ela dissera, ao afirmar que "estava contente com a sua visita, devido a determinada circunstância". A explicação teve lugar numa alameda afastada. Mária Nikítischna chamou propositalmente Vieltchâninov, que estava participando de certos jogos e começava a aborrecer-se muito, e conduziu-o àquela alameda, onde o deixou a sós com Nádia.

— Estou plenamente convencida — começou com ousadia, numa fala precipitada e estridente — de que o senhor não é, de modo algum, tão amigo de Páviel Pávlovitch como ele afirmou, vangloriando-se disso. Penso que o senhor é a única pessoa capaz de me prestar um favor muito importante; eis aí a horrível pulseira dele — tirou o estojo de um bolsinho. — Peço-lhe encarecidamente que devolva isso logo a Páviel Pávlovitch. Quanto a mim, nunca mais lhe dirigirei a palavra, por nada deste mundo. Aliás, pode dizer-lhe isto, em meu nome; diga também que nunca mais tenha a ousadia de me dar presentes. Quanto ao resto, farei com que ele saiba por meio de outras pessoas. Pode dar-me o prazer de fazer isto que lhe peço?

— Ah, pelo amor de Deus, dispense-me! — exclamou Vieltchâninov quase a gritar e gesticulando.

— Como? Dispensá-lo?

Nádia ficou profundamente surpresa com a recusa e fitou-o com os olhos arregalados. Num instante, seu ensaiado tom de voz falhou, e ela esteve prestes a chorar. Vieltchâninov deu uma gargalhada.

— Eu... não é que... ficaria até contente... mas eu tenho com ele minhas próprias contas a ajustar...

O eterno marido

145

— Eu sabia que o senhor não era seu amigo e que ele mentiu! — interrompeu Nádia com ardor e voz apressada. — Nunca me casarei com ele, saiba disso! Nunca! Não compreendo sequer como foi que ele ousou... Apesar de tudo, o senhor deve entregar-lhe esta horrível pulseira, pois, de outro modo, como farei? Quero, sem falta, sim, sem falta, que ele a receba hoje mesmo, e que engula a afronta. E, se se queixar a papai, ele verá o que vai lhe acontecer.

Naquele momento, surgiu de modo inteiramente inesperado o rapaz hirsuto de óculos azuis, que estivera escondido atrás de um tufo de vegetação.

— O senhor deve devolver-lhe a pulseira — declarou furibundo a Vieltchâninov — ainda que seja unicamente em nome dos direitos da mulher, se é que o senhor está à altura do problema...

Todavia, não chegou a terminar a frase; Nádia deu-lhe com toda a força um puxão na manga e arrastou-o para longe de Vieltchâninov.

— Meu Deus, como é estúpido, Priedpossilov! — gritou ela. — Vá embora! Vá embora, e não se atreva mais a nos espionar; eu lhe dei ordem para que se mantivesse a distância!...

Bateu os pezinhos; o outro já se esgueirara novamente para trás das suas moitas, e ela continuava ainda a percorrer o caminho de um lado para o outro, parecendo fora de si, os olhinhos faiscando e as mãos espalmadas sobre o peito.

— O senhor não pode imaginar como eles são estúpidos! — disse, detendo-se de súbito diante de Vieltchâninov. — O senhor está rindo, mas pense só no que eu devo sentir!

— Certamente, porque não é *ele*, não é verdade? Não é *ele*, é? — ria Vieltchâninov.

— Está claro que não é *ele,* e como pôde o senhor sequer pensar isso?! — Nádia sorriu e ficou vermelha. — É apenas um amigo dele. Mas eu não entendo como escolhe amigos assim; todos eles dizem que é um "futuro timoneiro", mas eu não compreendo nada... Não tenho a quem me dirigir, Aleksiéi Ivânovitch; pela última vez: vai devolver ou não?

— Está bem, vou devolver, passe cá o objeto.

— Ah, como o senhor é simpático, como é bondoso! — alegrou-se ela de repente, transmitindo-lhe o estojo. — Só por isso, vou cantar para o senhor o tempo todo, pois eu canto muito bem, saiba disso; menti quando disse não gostar de música. Ah, se o senhor voltasse aqui pelo menos uma vezinha mais, como eu ficaria contente; eu lhe contaria tudo, tudo, tudo, e muita coisa mais, pois o senhor é tão bom, tão bom como... como Cátia!

Com efeito, depois que voltaram para casa, a fim de tomar chá, cantou para ele duas romanças, com voz ainda não cultivada, e que apenas se iniciava, mas bastante agradável e forte. Quando todos voltaram do jardim, Páviel Pávlovitch estava com os velhos sentado gravemente à mesa de chá, onde fervia um grande samovar de família, ao lado de um serviço de porcelana de Sèvres. Entretinha os velhos, provavelmente com assuntos bem sérios, pois devia partir daí a dois dias, para uma ausência de nove meses. Nem sequer olhou os que chegavam do jardim, e sobretudo Vieltchâninov; evidentemente, ainda não "espionara", e até então tudo estava em paz.

Mas quando Nádia começou a cantar ele apareceu no mesmo instante. Nádia deixou intencionalmente de responder a uma pergunta direta que lhe fez, mas Páviel Pávlovitch não se confundiu, nem vacilou; postou-se atrás da cadeira da moça, como que a mostrar, em sua atitude, que era aquele o seu lugar e que não haveria de cedê-lo a ninguém.

— Aleksiéi Ivânovitch vai cantar, *maman*! Aleksiéi Ivânovitch quer cantar! — gritaram quase todas as moças, apertando-se ao redor do piano, diante do qual Vieltchâninov, com ar de autosssuficiência, se sentava, preparando-se para acompanhar a si mesmo. Os velhos entraram também na sala, acompanhados por Catierina Fiedossiéievna, que estivera sentada com eles, servindo o chá.

O eterno marido

Vieltchâninov escolheu uma romança de Glinka, hoje quase esquecida:

Quando entreabrires os lábios na hora feliz,
E arrulhares, mais terna que uma pomba...[25]

Cantou-a dirigindo-se unicamente a Nádia, que estava bem junto do seu cotovelo, mais próxima que os demais. Quase não tinha voz, mas, pelos indícios, percebia-se que fora razoável. Vieltchâninov ouvira aquela romança, pela primeira vez, uns vinte anos antes, quando estudante, cantada pelo próprio Glinka, em casa de um amigo do falecido compositor, num sarau artístico-literário de gente solteira. Glinka estava então muito exaltado e tocou e cantou todas as peças que preferia dentre as suas composições, inclusive aquela romança. Também ele não tinha mais a mesma voz, mas Vieltchâninov lembrava-se da extraordinária impressão causada na ocasião, precisamente por aquela romança. Um cantor de salão, com toda a sua habilidade, nunca seria capaz de atingir tal efeito. Na romança, a tensão apaixonada cresce a cada verso, a cada palavra; justamente pela força dessa tensão extraordinária, o menor toque falso, o menor fingimento, a mínima inverdade, que passam tão facilmente despercebidos numa ópera, teriam aqui destruído e deturpado todo o sentido da obra. Peça tão pequena, mas tão extraordinária, exigia inteiramente a verdade, uma autêntica e integral inspiração, uma paixão verdadeira ou uma assimilação poética integral. De outro modo, a romança não somente fracassaria por completo, mas poderia mesmo parecer horrenda e quase desavergonhada: seria impossível expressar semelhante força de tensão do sentimento amoroso, sem despertar repugnância, mas

---

[25] Romança de M. I. Glinka, segundo versos de Adam Micziewicz. (Nota da edição russa)

a verdade e a *simplicidade* salvavam-na. Vieltchâninov lembrava-se de que ele também a interpretara com êxito, em outros tempos. Quase assimilara o tipo de interpretação de Glinka; desta vez, porém, desde o primeiro som, desde o primeiro verso, uma inspiração autêntica despertou também em sua alma e tremeu-lhe na voz. A cada palavra da romança o sentimento irrompia e desnudava-se com força e audácia crescentes; nos últimos versos havia gritos de paixão; e, quando cantou — o olhar cintilante dirigido para Nádia — as últimas palavras:

> Agora, mais pleno de audácia, embebo meus
> olhos nos teus,
> Aproximo meus lábios, e perco a força de te
> ouvir,
> O que eu quero é beijar-te, beijar-te, beijar-te!
> O que eu quero é beijar-te, beijar-te, beijar-te!

Nádia quase estremeceu de susto e chegou mesmo a recuar um pouco; um rubor inundou-lhe as faces, e, no mesmo instante, Vieltchâninov viu perpassar em seu rostinho envergonhado, quase intimidado, algo que parecia expressar uma simpatia. O encantamento e, ao mesmo tempo, a perplexidade percebiam-se também nos semblantes de todas as ouvintes; era como se parecesse a todas impossível e vergonhoso cantar daquele modo; por outro lado, todos aqueles rostinhos e olhinhos ardiam, faiscavam e pareciam esperar, ainda, algo mais. Mais que todos, diante de Vieltchâninov avultou o rosto de Catierina Fiedossiéievna, que se tornara quase belo.

— Bem, é uma romança! — murmurou um pouco desnorteado o velho Zakhlébinin. — Mas... não será demasiado forte? É agradável, mas um tanto forte...

— Sim, forte... — concordou *madame* Zakhlébinina.

Páviel Pávlovitch não deixou que ela terminasse a frase: precipitou-se de súbito para a frente e, como um possesso, per-

O eterno marido

dendo todo o domínio de si, agarrou a mão de Nádia e conduziu-a para longe de Vieltchâninov; depois, com um movimento rápido, pôs-se ao lado deste e ficou a olhá-lo perturbado, os lábios trêmulos.

— Venha por um minutinho — mal pôde dizer afinal.

Vieltchâninov percebia claramente que, mais um instante,
e aquele cavalheiro era bem capaz de se decidir a algo ainda
dez vezes mais absurdo; tomou-o o quanto antes pelo braço e,
sem dar atenção à perplexidade geral, levou-o para o terraço;
desceu até com ele para o jardim, àquela hora quase escuro.

— Compreende que deve agora, neste mesmo instante,
partir comigo daqui?! — perguntou Páviel Pávlovitch.

— Não, não compreendo...

— Está lembrado — prosseguiu Páviel Pávlovitch, em seu
balbuciar alucinado —, está lembrado como exigiu então de
mim que lhe dissesse tudo, *tudo*, francamente, "a última palavra", está lembrado? Pois bem, chegou a hora de dizer essa
palavra... Vamos partir!

Vieltchâninov refletiu um pouco, olhou mais uma vez
para Páviel Pávlovitch e concordou em partir.

O súbito anúncio da partida de ambos deixou perturba-
dos os velhos e causou profunda indignação entre as moças.

— Ao menos, mais uma xícara de chá... — gemeu queixosa *madame* Zakhlébinina.

— Por que ficaste assim agitado? — disse o velho em tom
severo e descontente, dirigindo-se a Páviel Pávlovitch, que
sorria em silêncio.

— Páviel Pávlovitch, por que está levando embora Aleksiéi Ivânovitch? — arrulharam as moças em tom de queixa,
lançando, ao mesmo tempo, olhares furiosos contra Páviel Pávlovitch. Quanto a Nádia, olhava-o com tamanha ira que ele
contraiu completamente o rosto; contudo, não se rendeu.

— Realmente devo agradecer a Páviel Pávlovitch o fato
de ter-me lembrado uma ocupação de extrema importância,
e que eu podia ter esquecido — ria Vieltchâninov, apertando

a mão do dono da casa e inclinando-se diante da senhora e das moças, e, de modo particular, de Catierina Fiedossiéievna, o que foi notado mais uma vez por todos.

— Agradecemos-lhe a visita e teremos todos sempre muito prazer em vê-lo por aqui — concluiu Zakhlébinin, com voz convincente.

— Ah, teremos tanto prazer... — confirmou sensibilizada a dona da casa.

— Volte, Aleksiéi Ivânovitch! Torne a visitar-nos — ressoaram do terraço numerosas vozes quando ele tomou assento na caleça, ao lado de Páviel Pávlovitch. Então, apenas se ouviu uma vozinha, dizendo mais baixo que as demais:

— Volte, caro Aleksiéi Ivânovitch!

"É a ruivinha!" — pensou Vieltchâninov.

13.
DE QUE LADO PESA MAIS

Vieltchâninov ainda pôde pensar na ruivinha, mas havia muito que o arrependimento e uma sensação de mal-estar lhe perturbavam o espírito. No decorrer de todo aquele dia, que parecia ter passado tão alegremente, a angústia quase não o abandonara. E nem sabia já como escapar-lhe, antes mesmo de cantar a romança; é possível que, por essa razão, tivesse cantado com tamanho arrebatamento.

"E eu pude rebaixar-me assim... desprender-me de tudo!" — começou a censurar-se, mas interrompeu precipitadamente aqueles pensamentos. Pareceu-lhe humilhante lamentar-se; era muito mais agradável irritar-se quanto antes contra alguém.

— Imbeci-il! — murmurou com raiva, lançando um olhar de soslaio a Páviel Pávlovitch, que ia silencioso a seu lado.

Páviel Pávlovitch calava-se obstinadamente, concentrando-se e preparando-se talvez para algo. Com gesto impaciente, tirava às vezes o chapéu e enxugava a testa com um lenço.

— Está suando! — irritava-se Vieltchâninov.

Apenas uma vez, Páviel Pávlovitch perguntou ao cocheiro:

— Vai haver temporal?

— Pois então, e que temporal! Fez calor o dia todo.

Com efeito, o céu escurecia e, ao longe, coruscavam relâmpagos. Eram já dez e meia quando chegaram à cidade.

— Vou à sua casa — disse Páviel Pávlovitch, dirigindo-se cautelosamente a Vieltchâninov, quando já estavam perto da casa deste.

— Compreendo; aviso-o, porém, de que me sinto muito indisposto...

O eterno marido

153

— Não vou me demorar.

Quando atravessaram o portão, Páviel Pávlovitch entrou por um instante no compartimento do zelador, a fim de falar com Mavra.

— O que foi fazer lá? — perguntou severamente Vieltchâninov quando o outro o alcançou, e entraram ambos no apartamento.

— Nada... o cocheiro...

— Não consentirei que beba!

Não houve resposta. Vieltchâninov acendeu as velas, e Páviel Pávlovitch instalou-se imediatamente na cadeira. Vieltchâninov parou diante dele, com ar sombrio.

— Também eu lhe prometi dizer a minha "última" palavra — começou ele com irritação íntima, ainda contida. — Vejamos: em sã consciência, considero terminadas todas as nossas relações, de modo que nem sequer temos mais assunto para conversar; está ouvindo? Não temos mais assunto. Não será melhor, por conseguinte, que saia imediatamente daqui e que eu vá trancar a porta?

— Ajustemos as nossas contas, Aleksiéi Ivânovitch! — disse Páviel Pávlovitch, mas fitando-o nos olhos com particular doçura.

— As con-tas? — Vieltchâninov ficou extremamente surpreso. — É uma palavra muito estranha! As "contas" de quê? Ah! será essa, por acaso, a "última palavra", que me prometeu há algum tempo... revelar?

— Exatamente.

— Não temos mais contas a ajustar; há muito tempo que está feito o ajuste! — disse Vieltchâninov com orgulho.

— Será possível que pense assim? — retrucou Páviel Pávlovitch, compenetrado, juntando num gesto estranho as mãos sobre o peito, os dedos entrelaçados.

Vieltchâninov não lhe respondeu e pôs-se a caminhar pelo quarto. "Lisa? Lisa?" — gemia-lhe o coração.

— Mas como queria saldar as contas? — disse ele, dirigindo-se ao outro com ar sombrio, depois de um silêncio bastante prolongado.

Páviel Pávlovitch, durante todo esse tempo, acompanhava-o pelo quarto com os olhos, de mãos cruzadas, como antes.

— Não vá mais lá — murmurou Páviel Pávlovitch com voz quase súplice, e de repente ergueu-se da cadeira.

— Como? Então era apenas isso? — Vieltchâninov soltou uma gargalhada maldosa. — E como você me surpreendeu hoje, o dia todo! — começou venenosamente, mas, de súbito, a expressão de seu rosto mudou por completo. — Ouça — disse com tristeza e sentimento profundo, sincero —, creio que nunca nem por nada me humilhei tanto como hoje; em primeiro lugar, concordando em acompanhá-lo e, depois, com aquilo que aconteceu lá... Foi tão mesquinho, tão lastimável... Eu me envileci, rebaixei-me, ligando-me... e esquecendo... Ora, que importa! — dominou-se de súbito. — Ouça: encontrou-me hoje, por acaso, irritado e doente... Bem, para que me justificar?! Nunca mais irei lá, e asseguro-lhe que não tenho nenhum interesse naquela casa — concluiu com ar decidido.

— Será possível? Será possível? — exclamou Páviel Pávlovitch, sem esconder a sua perturbação e alegria.

Vieltchâninov olhou-o com desprezo e pôs-se novamente a caminhar pelo quarto.

— Você parece que decidiu ser feliz custe o que custar, não é mesmo? — observou finalmente, não se contendo.

— Sim — confirmou Páviel Pávlovitch, com ingenuidade e doçura.

"Que tenho eu — pensou Vieltchâninov — com o fato de que ele seja um palhaço e sua maldade não passe de estupidez? Contudo, não posso deixar de odiá-lo... ainda que ele não o mereça!"

— Sou um "eterno marido"! — disse Páviel Pávlovitch, com um sorriso de ironia em relação a si mesmo, um sorriso humilde e submisso. — Há muito tempo que aprendi essa palavrinha com você, Aleksiéi Ivânovitch, quando ainda residia

O eterno marido

155

em nossa cidade. Naquele ano, guardei de memória muitas das suas palavras. Da última vez, quando falou, aqui mesmo, em "eterno marido", logo eu compreendi.

Mavra chegou com uma garrafa de champanhe e dois copos.

— Desculpe-me, Aleksiéi Ivânovitch, mas sabe que não posso passar sem isto. Não o tome por insolência de minha parte, e considere-me antes uma pessoa estranha, indigna de você.

— Sim... — concordou Vieltchâninov com repugnância.

— Mas eu lhe asseguro que me sinto indisposto...

— Já, já, um instantinho só! — afanou-se Páviel Pávlovitch. — Vou beber um copinho apenas, porque a minha garganta...

Bebeu o copo com avidez, de um trago só, e sentou-se, olhando quase com ternura para Vieltchâninov. Mavra saiu.

— Que indignidade! — murmurou Vieltchâninov.

— São apenas amiguinhas — disse de repente Páviel Pávlovitch, completamente animado.

— Como! O quê? Ah, sim, é ainda sobre aquilo...

— Amiguinhas apenas! Além disso, todas tão moças; a graça dá-lhes mesmo certa arrogância, aí está! É encantador até. Mas, depois... depois, você sabe: serei escravo dela; há de se ver cercada de respeito, a sociedade... há de se reeducar por completo.

"Mas preciso entregar-lhe a pulseira!" — pensou Vieltchâninov franzindo o cenho e apalpando o estojo no bolso do sobretudo.

— Disse ainda há pouco que eu decidi ser feliz? Eu preciso casar, Aleksiéi Ivânovitch — prosseguiu Páviel Pávlovitch, em tom confidencial, quase comovido. — De outro modo, o que será de mim? Você mesmo está vendo! — apontou a garrafa. — E isto é apenas a centésima parte das minhas qualidades. Eu não posso de modo algum passar sem casamento e... sem uma nova fé; quando tiver fé, hei de ressuscitar.

— Mas para que me diz isto? — Vieltchâninov quase fungou, numa risada. Aliás, tudo aquilo parecia-lhe absurdo. — Mas diga-me — gritou ele — afinal para que me levou lá? Para que precisava de mim?

— Para experimentar... — Páviel Pávlovitch pareceu, de repente, constrangido.

— Experimentar o quê?

— O efeito... Eu — sabe, Aleksiéi Ivânovitch? — faz apenas uma semana que... experimento lá... (estava cada vez mais constrangido). Ontem, eu o encontrei e pensei: "Eu nunca a vi em companhia, por assim dizer, estranha, isto é, masculina, além da minha...". Um pensamento estúpido, eu mesmo sinto isso, agora; um pensamento supérfluo. Tive uma vontade demasiado forte, por causa do meu caráter ruim... — Ergueu de repente a cabeça e corou.

"Será possível que ele esteja dizendo toda a verdade?" — Vieltchâninov admirava-se, estupefato.

— Bem, e então? — perguntou.

Páviel Pávlovitch teve um sorriso doce e como que ladino.

— É uma infância encantadora apenas! As amiguinhas! Perdoe-me somente o meu estúpido comportamento de hoje perante você, Aleksiéi Ivânovitch; não tornarei a fazer isso; isso não acontecerá nunca mais.

— E eu também não estarei mais lá — sorriu Vieltchâninov.

— É justamente em relação a essa circunstância que eu o digo.

Vieltchâninov se torceu um pouco.

— Mas não sou o único no mundo — observou irritado.

Páviel Pávlovitch ficou novamente corado.

— Penaliza-me ouvi-lo, Aleksiéi Ivânovitch; eu, creia-me, tenho tanta consideração por Nadiejda Fiedossiéievna...

— Desculpe, desculpe, eu não quis dizer nada; apenas, estranho um pouco que tenha exagerado tanto a minha ca-

O eterno marido

157

pacidade de ação... e... tenha tão sinceramente posto a sua esperança em mim...

— Confiei justamente porque tudo aquilo se passou... depois... tudo quanto passou...

— Se é assim, quer dizer que me considera, mesmo agora, um homem muito digno? — deteve-se de repente Vieltchâninov. Em outro momento, ele ficaria horrorizado com a ingenuidade da sua brusca pergunta.

— Sempre o considerei assim — Páviel Pávlovitch baixou os olhos.

— Ora, está bem, naturalmente... eu não quis dizer isto, ou melhor, não foi neste sentido; quis apenas dizer que, apesar de todas... as ideias preconcebidas.

— Sim, mesmo apesar das ideias preconcebidas.

— E quando estava vindo para Petersburgo? — não se pôde mais conter Vieltchâninov, percebendo todo o caráter monstruoso da sua curiosidade.

— Também quando estava vindo para Petersburgo eu o considerava a pessoa mais digna. Eu sempre o respeitei, Aleksiéi Ivânovitch — Páviel Pávlovitch ergueu os olhos; contemplava agora o adversário com franqueza, sem o menor indício de perturbação. Vieltchâninov teve, de repente, medo: decididamente não queria que algo acontecesse, ou que ultrapassasse determinado limite, tanto mais que ele mesmo provocara a explicação.

— Eu estimava-o muito, Aleksiéi Ivânovitch — disse Páviel Pávlovitch, como se bruscamente se decidisse a falar. — Estimei-o também durante todo aquele ano em T... Você não o percebeu — prosseguiu com voz um tanto trêmula, para grande terror de Vieltchâninov. — Eu estava numa posição demasiado inferior à sua para que você pudesse notá-lo. E talvez nem fosse preciso. E em todos esses nove anos eu me lembrei de você, pois nunca tive em minha vida um ano como aquele. (Os olhos de Páviel Pávlovitch adquiriram um brilho singular.) Guardei de memória muitas das suas palavras e ex-

158 Fiódor Dostoiévski

pressões, muitos dos seus pensamentos. Lembrava-me sempre de você como de uma pessoa que reagia com ardor aos bons sentimentos, uma pessoa muito instruída e com ideias próprias. "Os grandes pensamentos originam-se mais de um grande sentimento do que de uma grande inteligência" — você mesmo disse isto, talvez tenha esquecido, mas eu o guardei na lembrança. E eu sempre contei com você, como pessoa de grande sensibilidade... e, por conseguinte, acreditava, sem considerar mais nada...

O seu queixo começou, de súbito, a tremer. Vieltchâninov estava completamente assustado; era preciso, a todo custo, interromper aquele tom inesperado.

— Chega, por favor, Páviel Pávlovitch — balbuciou ele, corando, presa de uma impaciência irritada. — E para quê, para quê — gritou de repente —, para que se apega assim a um homem doente, nervoso, quase delirante, e arrasta-o para essas trevas... quando tudo é um espectro, miragem, mentira, vergonha, quando tudo é antinatural e fora de qualquer medida, sim, isto é o principal, o mais vergonhoso, o fato de estar fora de medida! É tudo um absurdo: ambos somos gente viciosa, subterrânea, vil... E — quer, quer? — vou demonstrar-lhe, neste instante, que não apenas não me estima, mas odeia-me com todas as suas forças, e que mente sem o saber: se me levou para lá, não foi por causa do objetivo estúpido de experimentar a noiva (tem-se cada ideia!), mas simplesmente porque me viu ontem e ficou *enfurecido*, e levou-me lá para mostrar-me a moça e dizer: "Está vendo como ela é?! Será minha: experimente agora aqui!". Você me desafiou! É possível que não o soubesse, mas foi assim, pois sentiu tudo isso... E, sem ódio, não se pode fazer tal desafio; por conseguinte, odiou-me!

Dizia isso aos gritos, percorrendo o quarto a passos largos; e o que mais o atormentava e ofendia era a consciência humilhante de que ele próprio se rebaixava ao nível de Páviel Pávlovitch.

O eterno marido

159

— Eu quis fazer as pazes, Aleksiéi Ivânovitch! — disse de repente o outro, com acento enérgico, num murmúrio apressado, e o seu queixo começou de novo a pular. Um furor ilimitado apoderou-se de Vieltchâninov, como se nunca ninguém lhe tivesse feito semelhante ofensa!

— Eu lhe digo mais uma vez — urrou ele — que você... se pendurou num homem doente e irritado para arrancar-lhe alguma palavra impossível, em meio ao delírio! Nós... sim, somos gente de mundos diferentes, compreenda isso, e... e... um túmulo ergueu-se entre nós! — murmurou freneticamente e, de súbito, voltou a si...

— E você sabe — o rosto de Páviel Pávlovitch se contorceu e empalideceu de repente — e você sabe o que esse pequeno túmulo significa para mim... aqui! — exclamou ele, acercando-se de Vieltchâninov, batendo com o punho sobre o coração, num gesto ridículo, mas terrível. — Eu conheço esse túmulo, e ambos estamos nos bordos dessa tumba, mas, do meu lado, há mais que do seu, mais... — murmurou, como que num delírio, continuando sempre a bater no peito — mais, mais... mais... — De súbito, um toque violento da campainha chamou-os a si. Parecia que alguém tinha jurado arrancar a campainha ao primeiro toque.

— Não costumam tocar assim em minha casa — disse Vieltchâninov, perturbado.

— E não estamos na minha — murmurou Páviel Pávlovitch, intimidado, voltando igualmente a si e transformando-se num instante no Páviel Pávlovitch de antes.

Vieltchâninov franziu o cenho e foi abrir a porta.

— É o senhor Vieltchâninov, se não me engano? — ouviu-se da saleta uma voz jovem, sonora, extremamente presunçosa.

— O que deseja?

— Tenho uma informação segura — prosseguiu a voz sonora — de que um certo Trussótzki encontra-se, neste momento, em sua casa. Preciso vê-lo sem falta agora mesmo.

Teria sido, naturalmente, agradável a Vieltchâninov empurrar naquele instante, com um pontapé, aquele cavalheiro presunçoso para a escada. Todavia, refletiu um pouco, recuou e deixou-o passar.

— Aí está o senhor Trussótzki, entre...

14.
SÁCHENKA[26] E NÁDIENKA[27]

Entrou no quarto um rapaz de uns dezenove anos, talvez até um pouco menos, tão juvenil parecia o seu belo rosto, erguido com ar petulante. Apresentava-se bem trajado; pelo menos, tudo lhe assentava bem; tinha estatura acima da média; os cabelos negros, densos, separados em mechas, e os olhos grandes, ousados, escuros, destacavam-se particularmente em sua fisionomia. Apenas o nariz era um tanto largo e arrebitado; não fosse isso, seria realmente um belo tipo. Entrou com ar importante.

— Parece que tenho a oportunidade de falar com o senhor Trussótzki — disse pausadamente e frisando com particular prazer a palavra "oportunidade", o que dava a entender que uma conversa com o senhor Trussótzki não lhe podia proporcionar nenhuma honra, nenhum prazer.

Vieltchâninov estava começando a compreender; Páviel Pávlovitch parecia, igualmente, perceber algo. O seu rosto expressou inquietação; todavia, conteve-se.

— Não tenho a honra de conhecê-lo — respondeu com ar digno. — Suponho que não tenho também nada a tratar com o senhor.

— Principie por me ouvir, e somente depois diga a sua opinião — replicou o jovem em tom autossuficiente e senten-

---

[26] Diminutivo de Aleksandr. (N. do T.)

[27] Diminutivo de Nadiejda. (N. do T.)

O eterno marido

cioso, e, pegando o lornhão de aro de tartaruga, que pendia de um cordão, pôs-se a examinar com ele a garrafa de champanhe sobre a mesa. Concluindo tranquilamente o exame da garrafa, dobrou o lornhão e, dirigindo-se novamente a Páviel Pávlovitch, disse: — Aleksandr Lobov?

— E que história é essa de Aleksandr Lobov?

— Sou eu. Não ouviu falar?

— Não.

— Aliás, como poderia conhecer-me? Venho tratar de um caso importante, que realmente lhe interessa; mas permita que eu me sente, estou cansado...

— Sente-se — convidou Vieltchâninov; o moço, porém, já tivera tempo de sentar-se antes mesmo desse convite. Embora sentisse uma dor crescente no peito, Vieltchâninov interessou-se por aquele jovem insolente. Em seu belo e corado rosto infantil, julgou reconhecer alguma semelhança remota com Nádia.

— Sente-se também — propôs o jovem a Páviel Pávlovitch, indicando-lhe com um aceno displicente da cabeça o lugar em frente.

— Não é necessário, vou ficar em pé.

— O senhor vai ficar cansado. Não precisa retirar-se daqui, senhor Vieltchâninov.

— Nem tenho para onde me retirar, estou em casa.

— Como queira. Confesso que até quero que o senhor presencie a minha explicação com este cavalheiro. Nadiejda Fiedossiéievna falou-me do senhor em termos bastantes lisonjeiros.

— Ora! Mas quando teve ela essa oportunidade?

— Imediatamente após a sua partida; venho também de lá. Eis do que se trata, senhor Trussótzki — voltou-se para Páviel Pávlovitch, que se mantinha de pé. — Nós, quero dizer, Nadiejda Fiedossiéievna e eu — arrastou ele entre os dentes, refestelando-se com displicência na poltrona —, já nos amamos há muito tempo e temos nossa palavra comprometida. O senhor agora está nos atrapalhando; vim aqui para convidá-lo a limpar o campo. Está disposto a concordar com a minha proposta?

Páviel Pávlovitch até balançou o corpo; empalideceu, mas um sorriso maldoso deformou-lhe imediatamente os lábios.

— Não, de modo nenhum — respondeu lacônica e abruptamente.

— Então, é assim?! — o jovem virou-se na poltrona, cruzando com violência as pernas.

— Não sei sequer com quem estou falando — acrescentou Páviel Pávlovitch. — Creio, mesmo, que não temos mais nada a nos dizer.

Depois disso, também ele julgou necessário sentar-se.

— Eu disse que o senhor se cansaria — observou o jovem com displicência. — Tive há pouco a oportunidade de informá-lo de que me chamo Lobov, e que eu e Nadiejda Fiedossiéievna estamos mutuamente comprometidos; por conseguinte, o senhor não pode dizer, como ainda há pouco, que não sabe com quem está tratando; também não pode achar que não temos mais nada a nos dizer: não falando de mim, trata-se de Nadiejda Fiedossiéievna, a quem o senhor importuna com tamanha impudência. E só este fato já constitui motivo suficiente para uma explicação.

Arrastou tudo isso entre os dentes, com ar enfatuado, mal se dignando até de pronunciar as palavras; chegou, mesmo, a tirar novamente o lornhão e, por um instante, dirigiu-o para algo, enquanto falava.

— Permita-me, jovem... — exclamou Páviel Pávlovitch, irritado. Mas o "jovem" cortou-lhe imediatamente a palavra.

— Em qualquer outra ocasião, eu naturalmente lhe proibiria chamar-me de "jovem", mas no presente momento, convenha comigo, a minha juventude constitui a principal vantagem que tenho sobre o senhor; hoje mesmo, por exemplo, quando o senhor a presenteou com a sua pulseira, bem sei que gostaria de ser um pouquinho mais jovem, pelo menos.

— Ah, pequena víbora! — murmurou Vieltchâninov.

O eterno marido

— Em todo caso, prezado senhor — corrigiu-se Páviel Pávlovitch com dignidade —, não considero as razões que apresentou, razões estas inconvenientes e bastante duvidosas, suficientes para que continuem sendo objeto de discussão. Vejo que todo este caso é fútil e infantil; amanhã mesmo, vou tomar informações com o respeitável Fiedossiéi Siemiônovitch; por enquanto, peço-lhe que me deixe em paz.

— Está vendo que tipo de pessoa ele é! — exclamou imediatamente o jovem, dirigindo-se com ardor a Vieltchâninov e não conseguindo manter o tom anterior. — Não lhe basta ser escorraçado de lá, e que lhe mostrem a língua; quer ainda denunciar-nos amanhã ao velho! O senhor não está porventura demonstrando com isso, homem teimoso, que pretende obter a moça à força, que a está comprando de gente que já perdeu o juízo, gente que, em virtude da barbárie social, conserva sua autoridade sobre ela? Parece que ela já lhe deu suficientes demonstrações de desprezo; não recebeu já de volta o indecoroso presente de hoje, a sua pulseira? Que mais pretende?

— Ninguém me devolveu nenhuma pulseira, nem isso é possível — estremeceu Páviel Pávlovitch.

— Como não é possível? Acaso o senhor Vieltchâninov não lhe entregou?

"Ah, diabos te carreguem!" — pensou Vieltchâninov.

— Realmente — disse ele, franzindo o cenho —, Nadiejda Fiedossiéievna encarregou-me de lhe entregar, Páviel Pávlovitch, este estojo. Eu não quis aceitar a incumbência, mas ela insistiu... aqui está... lamento...

Puxou do bolso o estojo e colocou-o, perturbado, diante de Páviel Pávlovitch.

— Mas por que o senhor não o entregou até agora? — disse o rapaz, dirigindo-se com severidade a Vieltchâninov.

— Porque não deu tempo, naturalmente — respondeu este, franzindo o cenho.

— É estranho.

— O quê-ê?

— Pelo menos estranho, convenha comigo. Aliás, estou disposto a concordar que há nisso um mal-entendido.

Vieltchâninov teve uma vontade terrível de se levantar no mesmo instante e puxar o moleque pelas orelhas, mas não conseguiu manter-se sério e, olhando para ele, explodiu numa risada; o menino riu também. Páviel Pávlovitch, esse, não ria; se Vieltchâninov pudesse notar o olhar terrível que lhe dirigiu, quando soltara aquela gargalhada, compreenderia que, naquele mesmo instante, Páviel Pávlovitch atingira um limite fatal... Mas, embora Vieltchâninov não tivesse visto aquele olhar, compreendeu que precisava dar apoio a Páviel Pávlovitch.

— Escute, senhor Lobov — começou ele, num tom amistoso —, sem entrar em considerações sobre outros motivos, aos quais não quero me referir, eu lhe observaria apenas que, ao pedir a mão de Nadiejda Fiedossiéievna, Páviel Pávlovitch tem, em todo caso, a seu favor, em primeiro lugar, o fato de ser bem conhecido daquela respeitável família; em segundo, a sua excelente e respeitável posição social, e, finalmente, a sua fortuna. Portanto, é natural que ele se admire vendo diante de si um rival como o senhor, pessoa de grandes qualidades talvez, mas tão jovem que ele de modo nenhum poderá considerá-lo um rival sério... e, por conseguinte, ele está no seu direito, quando lhe pede que dê um fim a esta entrevista.

— Que significa esse "tão jovem"? Já faz mais de um mês que completei dezenove anos. De acordo com a lei, há muito tempo já estou apto a me casar. Eis a questão.

— Mas qual é o pai que se decidirá a dar-lhe a mão de sua filha, ainda que o senhor possa tornar-se, no futuro, um multimilionário ou um benfeitor da humanidade? Um homem de dezenove anos não pode sequer responder por si, e o senhor se decide, ainda, a tomar sobre a sua consciência um futuro alheio, isto é, o futuro de uma criança como o senhor mesmo! Isto não é lá muito nobre, que acha? Eu me permiti dizer o que penso porque o senhor, ainda há pouco, dirigiu-

O eterno marido

167

-se a mim como se eu fosse intermediário entre o senhor e Pá-viel Pávlovitch.

— Ah, sim, a propósito, quer dizer que ele se chama Pá-viel Pávlovitch?! — observou o rapaz. — Como foi então que sempre tive a impressão de que fosse Vassíli Pietróvitch? Eis o que tenho a dizer — dirigiu-se a Vieltchâninov. — Os se-nhores não me causaram nenhum espanto; eu sabia que são todos assim! É estranho, porém, que me tenham falado do senhor como de pessoa um tanto moderna até. Aliás, tudo não passa de tolices; o caso está em que não há nisso nada de pouco nobre da minha parte, como o senhor se permitiu dizer; muito pelo contrário, até, como espero explicar ao se-nhor: em primeiro lugar, ambos empenhamos mutuamente nossa palavra; além disso, eu me comprometi francamente, perante duas testemunhas, no sentido de que, se ela vier a amar um outro ou simplesmente se arrepender de me ter desposado, e quiser divorciar-se, eu lhe entregarei imediata-mente uma confissão escrita de adultério; deste modo, por conseguinte, eu apoiaria quando fosse preciso uma petição de divórcio. Mais ainda: para garanti-la contra um arrepen-dimento de minha parte, quanto à confissão escrita, eu lhe confiaria, no próprio dia do nosso casamento, uma promis-sória no valor de cem mil rublos, de sorte que, no caso de uma recusa de minha parte em entregar aquele documento, ela poderia apresentar imediatamente a minha promissória e eu seria levado a nocaute! Desse modo, tudo está garan-tido, e eu não arrisco o futuro de ninguém. Bem, isto em pri-meiro lugar.

— Sou capaz de jurar que foi aquele — como se chama? — Priedpossilov quem inventou isso para o senhor! — excla-mou Vieltchâninov.

— Hi, hi, hi! — riu venenosamente Páviel Pávlovitch.

— De que está rindo este cavalheiro? O senhor adivinhou, foi ideia de Priedpossilov; mas convenha comigo que foi bem inventado. A lei absurda fica assim completamente paralisa-

168 Fiódor Dostoiévski

da. Está claro que eu pretendo amá-la sempre, e ela ri muito quando se fala no caso, mas, apesar de tudo, o expediente é engenhoso, e, convenha comigo, mais uma vez, trata-se de um ato nobre, ao qual nem todos se decidiriam.

— A meu ver, não só lhe falta nobreza, como é, até, bastante vil.

O jovem sacudiu os ombros.

— Mais uma vez, o senhor não me espanta — observou ele, depois de uma pausa. — Tudo isso já deixou de me espantar há muito tempo. Quanto a Priedpossilov, ele teria dito ao senhor abruptamente que uma tal incompreensão da sua parte, em relação aos fatos naturais, resulta de uma perversão dos sentimentos e noções mais comuns: em primeiro lugar, por um modo de vida há muito absurdo, e, em segundo, pela ociosidade prolongada. Aliás, é possível que ainda não nos estejamos compreendendo bem, pois, apesar de tudo, falaram-me bem do senhor... Creio que já tem uns cinquenta anos?

— Voltemos ao caso, peço-lhe.

— Perdoe-me a indiscrição e não me queira mal; não tive nenhuma intenção. Continuo: não sou de modo nenhum um futuro multimilionário, conforme o senhor se expressou (que ideia, a sua!). Sou exatamente o que o senhor vê; em compensação, estou plenamente certo do meu futuro. Não serei herói nem benfeitor de ninguém, mas hei de garantir-me, a mim e à minha esposa. É claro que não tenho nada agora; fui até criado em casa deles, desde criança...

— Como assim?

— É que sou filho de um parente remoto da mulher desse Zakhlébinin, e, quando todos os meus morreram, deixando-me sozinho aos oito anos, o velho levou-me para sua casa e, depois, mandou-me para o ginásio. Aquele homem é até bondoso, se lhe interessa saber...

— Eu sei...

— Sim; mas uma cabeça muito antiquada. Aliás, bondoso mesmo. Agora, naturalmente, deixei há muito a sua tutela,

O eterno marido

desejando ganhar sozinho a vida e dever obrigações unicamente a mim mesmo.

— E quando foi que o senhor a deixou? — interessou-se Vieltchâninov.

— Há uns quatro meses já.

— Ah, já agora torna-se tudo claro: amigos, desde a infância! E então? Está empregado?

— Sim, emprego particular, no escritório de um tabelião; ganho vinte e cinco por mês. Por enquanto, naturalmente, mas, quando a pedi em casamento, nem isso eu tinha. Trabalhava então na estrada de ferro e ganhava dez rublos, mas tudo isso é apenas provisório.

— Mas o senhor pediu mesmo a mão da moça?

— Apresentei um pedido formal, e já faz muito tempo, umas três semanas.

— Bem, e então?

— O velho riu muito, depois ficou furioso. Quanto a Nádia, trancaram-na lá em cima, na água-furtada. Mas ela suportou tudo com heroísmo. Aliás, todo o fracasso resultou do fato de o velho se ter irritado comigo, por eu ter largado, antes mesmo de me empregar na estrada de ferro, o emprego que ele me tinha arranjado num departamento, há quatro meses. Ele é um velho muito simpático, torno a repetir, em casa é muito simples e alegre, mas, na repartição, o senhor nem pode imaginar: um verdadeiro Júpiter! Naturalmente, dei-lhe a entender que as suas maneiras não me agradavam; o principal culpado, porém, foi o subchefe da seção: aquele cavalheiro teve a ideia de se queixar de minha "grosseria", quando eu apenas lhe dissera que ele não era suficientemente culto. Assim, deixei-os a todos de vez, e agora trabalho com um tabelião.

— E era bem pago naquele departamento?

— Ora, como extranumerário! O próprio velho pagava ainda a minha manutenção. É o que lhe digo: ele é bondoso, mas, apesar de tudo, não cederemos. Naturalmente, vinte e cinco rublos não bastam, mas espero, em breve, participar da

170 Fiódor Dostoiévski

administração das propriedades malcuidadas do conde Zaviléiski; passarei, assim, a ganhar três mil rublos; ou então, faço-me rábula. Atualmente, estão à procura de gente... Ih, que trovoada! Vem por aí uma tempestade. Ainda bem que cheguei a tempo; vim de lá a pé, correndo quase todo o tempo.

— Mas, perdão, se é assim, quando foi que teve tempo de conversar com Nadiejda Fiedossiéievna, tanto mais que não é recebido naquela casa?

— Ah, mas a gente pode pular o muro! Notou lá aquela ruivinha? — riu ele. — Pois bem, ela cuida do nosso caso, e Mária Nikítischna também. Mas que serpente essa Mária Nikítischna!... Por que faz caretas? Está com medo do trovão?

— Não, estou indisposto, muito indisposto... — Sofrendo realmente com a sua repentina dor no peito, Vieltchâninov soergueu-se na poltrona e tentou caminhar um pouco pela sala.

— Ah, quer dizer que eu, certamente, o incomodo! Não se preocupe, vou embora neste instante! — e o jovem ergueu-se de um salto.

— Não me incomoda, não é nada — Vieltchâninov quis ser delicado.

— Como? Nada? "Quando Kobílnikov tem dor de barriga...", lembra-se deste trecho de Schedrin?[28] Gosta de Schedrin?

— Sim...

— Eu também. Pois bem, Vassíli. Ah, Páviel Pávlovitch, acabemos de uma vez! — disse ele, quase rindo, a Páviel Pávlovitch. — Formulo mais uma vez a pergunta, para que a compreenda bem: está de acordo em renunciar amanhã mesmo, oficialmente, em presença dos velhos e na minha, a quaisquer pretensões em relação a Nadiejda Fiedossiéievna?

— Não concordo, de modo nenhum! — Páviel Pávlovitch levantou-se também, com expressão impaciente e enfurecida.

[28] Citação do conto de Saltikóv-Schedrin "Para crianças". (N. do T.)

— E, além disso, peço mais uma vez que me deixe em paz... pois tudo isso são infantilidades e tolices.

— Veja bem! — ameaçou o jovem com o dedo e sorrindo com arrogância. — Não se engane nas contas! Sabe em que pode resultar semelhante erro de cálculo? Previno-o de que, daqui a nove meses, quando o senhor já tiver feito lá as suas despesas, depois que voltar esgotado para cá, terá de renunciar realmente a Nadiejda Fiedossiéievna; e, se não renunciar, será pior para o senhor. Veja bem: pior para o senhor mesmo, eis no que vai dar este caso! Devo preveni-lo de que, no momento presente — desculpe, é apenas uma comparação —, o senhor é como um cachorro sobre um monte de feno; não aproveita e não deixa que os outros aproveitem. Por um sentimento de humanidade, repito-lhe: reflita bem, trate de refletir seriamente, pelo menos uma vez na vida.

— Peço-lhe que guarde para si as suas lições de moral — exclamou Páviel Pávlovitch enfurecido. — E quanto às suas maldosas alusões, tomarei medidas amanhã mesmo, medidas severas!

— Alusões maldosas? Mas de que está falando? O senhor é que é maldoso, se tem isso na cabeça. Aliás, estou de acordo em esperar até amanhã, mas no caso de... Ah, novamente esse trovão! Até à vista, muito prazer em conhecê-lo — acenou com a cabeça para Vieltchâninov e correu, aparentemente ansioso de fugir à tempestade e evitar a chuva.

15.
AJUSTARAM-SE AS CONTAS

— Viu? Viu? — Páviel Pávlovitch precipitou-se na direção de Vieltchâninov, mal o rapaz saiu.

— Sim, você não tem sorte! — deixou escapar Vieltchâninov.

Não o atormentasse e irritasse tanto aquela dor, cada vez maior, no peito, não teria dito aquelas palavras. Páviel Pávlovitch estremeceu, como se algo o queimasse.

— Bem, foi por dó de mim que não devolveu a pulseira, eh?

— Não deu tempo...

— Teve dó, de todo o coração, como um verdadeiro amigo tem de outro?

— Pois bem, tive dó — disse Vieltchâninov, enfurecendo-se.

Todavia, contou-lhe sucintamente como recebera a pulseira e como Nadiejda Fiedossiéievna quase o obrigara a tomar parte no caso...

— Compreenda que eu não a receberia por nada deste mundo; os aborrecimentos já são tantos sem isso!

— Mas deixou-se enlear e tomou parte na coisa! — Páviel Pávlovitch deu uma risadinha.

— Isso é tolo da sua parte; aliás, precisa ser desculpado. Você mesmo viu, ainda há pouco, que não sou eu a principal figura neste caso; há outras pessoas!

— Apesar de tudo, deixou-se enlear.

Páviel Pávlovitch sentou-se e encheu o copo.

O eterno marido

— Supõe que vou renunciar em benefício do moleque? Vou reduzi-lo a poeira, aí está! Amanhã mesmo, irei lá e vou fazer isso. É preciso eliminar este cheirinho do quarto das crianças...

Bebeu o copo quase de um gole e encheu-o de novo; de modo geral, passou a agir com um desembaraço que até então não tivera.

— Veja só, Nádienka e Sáchenka, simpáticas criancinhas... hi, hi, hi!

Estava enfurecido. Ressoou novamente um forte trovão; um relâmpago de cegar faiscou, e a chuva começou a cair em torrentes. Páviel Pávlovitch ergueu-se e trancou a janela, que estivera aberta.

— Ainda há pouco, ele perguntou: "Não tem medo de trovão?". Hi, hi! Vieltchâninov com medo de trovão! E quanto a Kobílnikov... Como foi aquilo sobre Kobílnikov?... E sobre os cinquenta anos, hem? Lembra-se? — insistia Páviel Pávlovitch, maldoso.

— Vejo que já se instalou aqui — observou Vieltchâninov, mal conseguindo falar, tão forte era a sua dor. — Vou-me deitar... faça como bem entender.

— Com um tempo assim, não se enxota de casa nem mesmo um cachorro! — replicou Páviel Pávlovitch ofendido; aliás, quase contente, por ter o direito de se mostrar ofendido.

— Ora, está bem, fique aí sentado, beba... Se quiser, passe a noite aqui! — disse Vieltchâninov com voz arrastada, e, estendendo-se no sofá, gemeu ligeiramente.

— Passar a noite? E não vai ter medo?

— De quê? Vieltchâninov soergueu de repente a cabeça.

— De nada, não. Da última vez, parece que se assustou, ou então foi apenas impressão minha...

— Como é estúpido! — Vieltchâninov não se conteve e virou-se com raiva para a parede.

— Está bem — disse Páviel Pávlovitch.

O enfermo adormeceu quase a seguir. Toda a sua forçada contenção daquele dia, a que se acrescia o forte abalo da saúde nos últimos tempos, pareceu explodir de repente, e ele se viu debilitado como uma criança. A dor, porém, foi mais forte e venceu o cansaço e o sono. Uma hora depois, Vieltchâninov acordou e soergueu-se com sofrimento no sofá. A tempestade amainara; o quarto estava cheio de fumaça de cigarro, e a garrafa, vazia. Páviel Pávlovitch dormia no outro sofá. Jazia de costas, a cabeça sobre a almofada, completamente vestido e de botas. O lornhão escorregara-lhe do bolso e, preso ao cordão, quase tocava o soalho. O chapéu caíra ao chão. Vieltchâninov olhou-o com expressão sombria e não quis acordá-lo. Caminhando pelo quarto, o corpo retorcido, pois não suportava mais ficar no leito, gemia e pensava na dor.

Não era sem motivo que temia aquela dor no peito. Havia muito aqueles acessos tinham começado, mas vinham-lhe muito raramente: uma vez em um ou dois anos. Ele sabia que era do fígado. A princípio parecia concentrar-se em algum ponto do peito, sob o coração ou mais acima, uma pressão ainda abafada, pouco intensa, mas irritante. Aumentando sem cessar, no decorrer, às vezes, de dez horas seguidas, a dor atingia, finalmente, tamanha intensidade, a pressão tornava-se a tal ponto insuportável, que o doente sentia aproximar-se a morte. Quando do acesso anterior, que sofrera cerca de um ano antes, depois que, umas dez horas passadas, a dor cessara, ele ficara de repente tão fraco que, deitado no leito, mal podia mexer o braço, e o médico permitira-lhe apenas, por dia, algumas colheres de chá fraco e um pouco de pão molhado num caldo, como a uma criança de peito. Aquela dor aparecia-lhe em diferentes circunstâncias, mas sempre quando já estava com os nervos irritados. Era igualmente estranho o modo como passava; acontecia-lhe, às vezes, dominá-la logo no início, na primeira meia hora, com o uso de simples compressas quentes, e passava de vez; noutras ocasiões, porém, como acontecera na última crise, nada adiantava, e a dor não cedia senão após o emprego repetido e gradual de eméticos. O doutor confessou mais tarde que estivera certo de uma intoxicação. Agora, ainda faltava muito para que amanhecesse. Não queria mandar chamar o médico de noite e, em geral, não gostava de médicos. Finalmente, não se conteve e começou a gemer alto. Os gemidos acordaram Páviel Pávlovitch: este ergueu-se um pouco no sofá e ali permaneceu sentado algum tempo; de ouvido atento, assustado, acompanhava, com olhos perplexos, os movimentos de Vieltchâninov, que se movia, quase correndo, por ambos os cômodos. A garrafa bebida agira, aparentemente, com mais intensidade que de costume sobre Páviel Pávlovitch, que passou muito tempo sem poder raciocinar; finalmente, compreendendo, correu em direção a Vieltchâninov; este respondeu molemente, murmurando algo.

— Isto é do fígado, eu sei! — disse Páviel Pávlovitch animando-se de súbito, extremamente. — Piotr Kúzmitch Polossúkhin tinha exatamente a mesma coisa, e era do fígado. É preciso fazer umas compressas quentes. Piotr Kúzmitch sempre se tratava assim... Bem que pode matar! Vou correndo chamar Mavra, hem?

— Não é preciso, não é preciso — Vieltchâninov sacudiu, irritado, o braço. — Não preciso de nada.

Mas, sabe Deus por que, Páviel Pávlovitch estava quase fora de si, como se se tratasse de salvar um filho. Não obedecia a Vieltchâninov e, com todas as forças, insistia na necessidade das compressas e também de duas a três chávenas de chá fraco, para tomar logo, "não apenas quente, mas fervendo!". Sem esperar autorização, correu a chamar Mavra, ajudou-a a acender o fogo na cozinha, que estava sempre vazia, e preparou um samovar; ao mesmo tempo, conseguiu também fazer com que o doente se deitasse, tirou-lhe a roupa de cima, embrulhou-o num cobertor e, em uns vinte minutos apenas, preparou tanto o chá como a primeira compressa.

— São pratos aquecidos, escaldantes! — disse, quase tomado de entusiasmo, colocando um prato quente, enrolado num guardanapo, sobre o peito de Vieltchâninov. — Não temos outras compressas, e prepará-las levaria muito tempo, mas eu juro que os pratos dão resultado ainda melhor; eu próprio fiz essa experiência em Piotr Kúzmitch. Pode-se até morrer. Tome chá, engula; não faz mal que se queime; a vida é mais cara... que a elegância...

Apressava energicamente Mavra, ainda meio adormecida; os pratos eram trocados a cada três ou quatro minutos. Depois do terceiro prato e da segunda xícara de chá fervendo, tomado de um trago, Vieltchâninov sentiu, de repente, certo alívio.

— E, já que conseguimos dominar um pouco a dor, é bom sinal, graças a Deus — exclamou Páviel Pávlovitch, e correu alegremente para apanhar mais um prato e mais chá.

— O importante é acabar com a dor! É fazê-la desaparecer! — repetia a cada instante.

Meia hora depois, a dor cedera de vez, mas o enfermo estava a tal ponto esgotado que, por mais que Páviel Pávlovitch lhe implorasse, não concordou em suportar "mais um pratinho". Os olhos de Vieltchâninov cerravam-se de fraqueza.

— Dormir, dormir — repetiu com voz débil.

— Isso também! — concordou Páviel Pávlovitch.

— Passe a noite aqui... Que horas são?

— Um quarto para as duas.

— Passe a noite aqui.

— Estou passando, estou passando.

Pouco depois, o doente tornou a chamar Páviel Pávlovitch.

— Você, você — murmurou, quando o outro chegou correndo e se inclinou sobre ele —, você é melhor que eu! Compreendo tudo, tudo... Obrigado.

— Durma, durma... — murmurou Páviel Pávlovitch, e, muito apressado, dirigiu-se na ponta dos pés para o seu sofá.

Enquanto adormecia, o doente ouviu ainda como Páviel Pávlovitch fazia às pressas a cama, tirava a roupa e, finalmente, apagando a vela e prendendo a respiração para não fazer barulho, se estendia no sofá.

O eterno marido

Vieltchâninov adormeceu, sem dúvida, logo que a vela foi apagada; lembrou-se disso mais tarde, com nitidez. Mas, durante o sono, e até o instante mesmo de acordar, sonhou que estava acordado e que não conseguiria de modo algum adormecer, apesar de toda a fraqueza. Finalmente, sonhou que estava começando a delirar acordado e que não conseguia expulsar as visões que se apinhavam junto dele, apesar de plenamente cônscio de tudo ser apenas delírio e não realidade. As visões eram todas conhecidas; o quarto parecia repleto de gente, e a porta estava aberta para o saguão de entrada; pessoas entravam em multidão, enquanto outras se aglomeravam na escada. Junto à mesa, colocada no centro do quarto, havia um homem sentado — exatamente como no sonho que tivera cerca de um mês antes. Como daquela vez, o homem estava sentado, de bruços sobre a mesa, e não queria falar. Desta vez, porém, usava chapéu-coco ornado com crepe. "Como? Será possível que, também daquela vez, fosse Páviel Pávlovitch?" — pensou Vieltchâninov. Todavia, espiando o rosto do homem que se mantinha calado, certificou-se de que era completamente outra pessoa. "Mas por que usa crepe?" — surpreendia-se Vieltchâninov. O barulho, as falas, os gritos das pessoas que se comprimiam junto à mesa eram terríveis. Parecia que estavam ainda mais enfurecidas contra Vieltchâninov que no sonho anterior; ameaçavam-no com as mãos e gritavam-lhe algo com todas as forças, mas ele não conseguia de modo algum distinguir aqueles gritos. "Mas isto é um delírio, sei perfeitamente! — pensava. — Sei que não conseguia dormir e que me levantei, pois a angústia impedia-me de permanecer deitado!..." E, no entanto, os gritos e as pessoas, os seus gestos, tudo era nítido, tão real, que, às vezes, assaltava-o uma dúvida: "Será possível que isto seja realmente delírio? O que pretende de mim essa gente? Meu Deus! Todavia, se tudo isso não fosse delírio, não teriam já semelhantes gritos acordado Páviel Pávlovitch? Pois ele está adormecido aí mesmo, no sofá!". Por fim algo aconteceu, de súbito, tal como no outro sonho: todos se precipitaram para a escada e comprimiram-se terrivelmente junto à porta, pois, da escada, uma nova multidão irrompia no quarto. Esses homens carregavam alguma coisa grande e pesada; ouviam-se ressoar, pesados, sobre os degraus da escada, os passos dos carregadores e seu ofegar, quando falavam. Na sala, todos gritaram: "Estão trazendo, estão trazendo!". Todos os olhos cintilaram e fixaram-se em Vieltchâninov; todos lhe apontavam a escada, ameaçando-o, triunfantes. Não duvidando nem um pouco de que tudo aquilo não era delírio, mas realidade, ele se pôs na ponta dos pés, a fim de verificar o mais depressa possível, por entre as cabeças, o que estavam carregando para ali. O seu coração batia, batia, batia, e, de súbito, exatamente como no sonho anterior, ressoaram três toques violentos de sineta. E, mais uma vez, era um toque tão nítido, tão real — podendo até ser sentido — que, naturalmente, não se tratava apenas de sonho!... Vieltchâninov soltou um grito e acordou.

Todavia, não se arremessou para a porta, como da outra vez. Que pensamento teria determinado seu primeiro movimento? E, mesmo, ter-lhe-ia ocorrido, naquele instante, alguma ideia? Foi, porém, como se alguém lhe sugerisse o que era preciso fazer: lançou-se fora do leito e correu, de braços para a frente, como se se defendesse do ataque de alguém, em direção do lugar onde dormia Páviel Pávlovitch. Seus braços chocaram-se de repente com outros, já estendidos para ele, e agarraram-nos com força; havia ali, portanto, alguém inclinado sobre ele. Os reposteiros estavam cerrados; contudo a escuridão não era completa, porquanto do outro quarto, onde não havia reposteiros, já chegava uma luz tênue. De chofre, algo lhe cortou de modo extremamente doloroso a palma e os dedos da mão esquerda; no mesmo instante compreendeu que agarrara e apertara com força a lâmina de uma faca ou de uma navalha... Ao mesmo tempo, algo se abateu no chão, com ruído seco e instantâneo.

O eterno marido

179

Vieltchâninov era talvez três vezes mais forte que Páviel Pávlovitch, mas a luta entre eles foi longa, uns três minutos bem contados. Afinal, jogou-o por terra e puxou-lhe os braços para trás; ainda assim, porém, por algum motivo, fez questão absoluta de amarrá-los, custasse o que custasse. E, enquanto com a mão esquerda ferida subjugava o assassino, com a direita, pôs-se a procurar, às apalpadelas, o cordão da cortina. A operação foi muito demorada, mas, tendo por fim agarrado o cordão, Vieltchâninov arrancou-o. Mais tarde, ele próprio se admiraria do esforço inaudito que isso lhe custara. Durante todos aqueles três minutos, nenhum dos dois disse palavra; ouvia-se-lhes apenas a respiração pesada e o abafado ruído da luta. Finalmente, tendo amarrado as mãos de Páviel Pávlovitch atrás das costas, Vieltchâninov abandonou-o no chão, ergueu-se, afastou violentamente os reposteiros e levantou um pouco o estore. Na rua deserta, já era dia claro. Abrindo a janela, Vieltchâninov permaneceu alguns instantes parado, aspirando profundamente o ar. Eram pouco mais de quatro horas. Tornou a fechar a janela, caminhou vagarosamente para o armário, apanhou uma toalha limpa e envolveu nela, com muita força, a mão esquerda, a fim de estancar o sangue. Viu a seus pés a navalha aberta, que jazia sobre o tapete; ergueu-a, fechou-a e colocou-a no estojo de barbear, esquecido de manhã sobre a mesinha, bem ao lado do sofá em que dormira Páviel Pávlovitch; a seguir, trancou à chave o estojo na escrivaninha. Feito isto, acercou-se de Páviel Pávlovitch e pôs-se a examiná-lo.

Entretanto o outro conseguira já, com esforço, erguer-se do tapete e sentar-se na poltrona. Estava em trajes menores e descalço, até. Tinha a camisa molhada de sangue, nas costas e nas mangas; o sangue, porém, não era dele, mas da mão cortada de Vieltchâninov. Sem dúvida que era Páviel Pávlovitch; mas poderia não reconhecê-lo, quase, no primeiro instante de um encontro casual — a tal ponto mudara o seu semblante. Estava sentado, endireitando-se desajeitada-

180   Fiódor Dostoiévski

mente na poltrona, por causa dos braços amarrados atrás; tinha o rosto contraído, desfigurado, verde; de vez em quando, estremecia. Dirigiu a Vieltchâninov um olhar fixo, se bem que mortiço, como se ainda não pudesse distinguir tudo. De repente, de expressão embotada, sorriu e, com um aceno em direção do jarro sobre a mesa, disse num breve murmúrio:

— Água.

Vieltchâninov encheu um copo e, segurando-o, deu-lhe de beber. Páviel Pávlovitch atirou-se, ávido, ao copo; depois de uns três goles, levantou um pouco a cabeça, olhou bem fixamente o rosto de Vieltchâninov, que estava em pé diante dele, o copo na mão; não disse nada, porém, e continuou a beber. Ao terminar, soltou um profundo suspiro. Vieltchâninov apanhou seu travesseiro, juntou sua roupa e passou para o quarto contíguo, fechando Páviel Pávlovitch à chave.

A dor passara completamente, mas sentiu de novo uma fraqueza extrema, após aquela momentânea tensão de forças que lhe surgiram Deus sabe de onde. Tentou compreender o sucedido, mas os seus pensamentos ainda não se combinavam bem; o choque fora demasiado forte. Ora os seus olhos cerravam-se, às vezes mesmo por uns dez minutos, ora ele estremecia, acordava, lembrava tudo, erguia um pouco a mão, que doía, envolvida na toalha molhada de sangue, e punha-se a pensar ansiosa e febrilmente. Parecia-lhe claro apenas o seguinte: Páviel Pávlovitch quisera efetivamente matá-lo com a navalha, mas talvez ele próprio não soubesse disso um quarto de hora antes. É possível que o estojo de barbear lhe tivesse simplesmente caído sob o olhar, na véspera, sem contudo despertar nele nenhum pensamento, ficando-lhe apenas na memória. (As navalhas estavam sempre fechadas à chave na escrivaninha; todavia, Vieltchâninov retirara-as, na manhã anterior, a fim de rapar alguns pelos supérfluos, junto aos bigodes e às suíças, conforme às vezes fazia.)

"Se ele há muito pretendesse matar-me, teria certamente preparado, com antecedência, um punhal ou pistola; não

O eterno marido

181

contaria com as minhas navalhas, que ele nunca viu antes dessa noite" — pensou, entre outras coisas, Vieltchâninov.

Soaram, finalmente, as seis horas. Voltando a si, Vieltchâninov vestiu-se e foi para junto de Páviel Pávlovitch. Ao abrir a porta, não conseguia entender por que trancara Páviel Pávlovitch, em vez de o deixar partir. Para sua surpresa, o prisioneiro já se achava inteiramente vestido; provavelmente, achara algum meio de desfazer os nós. Estava sentado na poltrona, mas levantou-se logo que Vieltchâninov entrou. Segurava já o chapéu. Seu olhar inquieto parecia dizer: "Não comece a falar; não há o que dizer...".

— Vá embora! — disse Vieltchâninov. — Tome o seu estojo — acrescentou, enquanto o outro se afastava.

Já à porta, Páviel Pávlovitch voltou e apanhou sobre a mesa o estojo com a pulseira, enfiou-o no bolso e saiu para a escada. Vieltchâninov ficou parado à porta, a fim de fechá-la atrás dele. Seus olhares encontraram-se pela última vez; Páviel Pávlovitch deteve-se de repente, e os dois se encararam por uns cinco segundos, como se vacilassem; finalmente, Vieltchâninov fez com a mão um gesto vago na direção do outro.

— Ora, vá embora! — disse a meia-voz e passou a chave na porta.

16.
ANÁLISE

Uma alegria imensa, extraordinária, apoderou-se dele; algo havia acabado e se tornara claro; aquela terrível angústia — era a sua impressão — afastara-se, dissipara-se de vez. Durara cinco semanas. Erguia o braço, olhava a toalha molhada de sangue e balbuciava: "Não, agora tudo está definitivamente acabado!". E toda aquela manhã, pela primeira vez em três semanas, quase não pensou em Lisa, como se aquele sangue dos dedos feridos pudesse deixá-lo "quite" com aquela angústia.

Teve nítida consciência de que se livrara de um perigo terrível. "Pessoas desse gênero — pensou —, pessoas exatamente desse tipo, que, um instante antes, não sabem se vão matar ou não, assim que apanham uma faca nas mãos trêmulas e mal sentem o primeiro borrifo de sangue cálido sobre os dedos, não apenas matam, mas cortam completamente a cabeça, 'fora de uma vez', como dizem os forçados. É isso."

Não podia ficar em casa e saiu para a rua, certo de que era indispensável fazer algo naquele instante, ou então alguma coisa lhe aconteceria, infalivelmente; ficou andando pelas ruas, à espera. Desejou extremamente encontrar alguém, falar a alguma pessoa, ainda que fosse um desconhecido, e foi somente isso que o fez pensar, finalmente, num médico e em que era preciso colocar na mão uma atadura de verdade. O médico, seu conhecido, examinou a ferida e perguntou-lhe, curioso: "Como foi que isto pôde acontecer?". Vieltchâninov desviou o assunto com alguns gracejos, deu gargalhadas e quase contou tudo, mas conteve-se. O médico teve que tomar-

O eterno marido

183

-lhe o pulso e, ao saber da crise daquela noite, convenceu-o a tomar ali mesmo um calmante, que tinha à mão. Quanto ao ferimento, tranquilizou-o também: "Isso não pode ter muitas consequências". Vieltchâninov soltou nova gargalhada e convenceu-o de que já tinham ocorrido consequências excelentes. Umas duas vezes mais, naquele dia, assaltou-o invencível desejo de contar *tudo*; isso chegou mesmo a ocorrer em relação a uma pessoa inteiramente desconhecida para ele, com quem entabulou conversa numa confeitaria. Até então, considerava detestável falar a desconhecidos em público.

Entrou em lojas, comprou um jornal, foi ao seu alfaiate e encomendou um terno. A ideia de visitar os Pogoriéltzev continuava a ser-lhe desagradável, e procurou não pensar neles; aliás, não podia ir à casa de campo: parecia estar esperando, o tempo todo, algo que devia acontecer ali, na cidade. Jantou com prazer, iniciou conversa com o garçom e o vizinho de mesa, e tomou meia garrafa de vinho. Não pensava sequer na possibilidade de uma reincidência da crise da véspera; estava certo de que a doença passara definitivamente no próprio instante em que, uma hora e meia após ter adormecido, pulara da cama e derrubara, com tamanha força, naquele estado de fraqueza, o assassino. Ao anoitecer, porém, a cabeça começou a girar-lhe e ele se viu dominado, durante alguns instantes, por algo parecido com o delírio da véspera. Escurecia já, quando voltou para casa, e, ao entrar no quarto, quase se assustou. O apartamento pareceu-lhe temível, sinistro. Percorreu-o algumas vezes e até entrou na cozinha, aonde não ia quase nunca. "Ontem, eles estiveram esquentando os pratos aqui" — pensou. Trancou bem a porta e acendeu as velas mais cedo que de costume. Ao trancar a porta, lembrou-se de que, meia hora antes, passando pelo apartamento do zelador, chamara Mavra e perguntara-lhe se Páviel Pávlovitch não viera na sua ausência, como se realmente o outro pudesse vir.

Bem trancado em seu apartamento, abriu a escrivaninha, retirou o estojo com as navalhas e examinou com atenção "a de ontem". No cabo branco, de osso, tinham ficado vestígios insignificantes de sangue. Tornou a colocar a navalha no estojo e fechou-o de novo na escrivaninha. Estava com sono; sentiu que lhe era indispensável deitar-se imediatamente, senão ficaria completamente imprestável no dia seguinte. Esse dia seguinte aparecia-lhe, não sabia por que, como fatal e "definitivo". Mas sempre os mesmos pensamentos, que não o abandonaram naquele dia um minuto sequer, nem mesmo na rua, aglomeravam-se e martelavam-lhe agora a cabeça doente, de modo incessante e inevitável. Ficou pensando, pensando, pensando e, por muito tempo ainda, não conseguiu adormecer...

"Se está bem definido que ele se levantou para me matar *sem querer* — não cessava de pensar —, não lhe teria vindo ao espírito essa ideia, antes, uma vez ao menos, mesmo na forma de um desejo, num momento de raiva?"

Resolveu a questão de modo estranho, isto é, decidiu que Páviel Pávlovitch quisera matá-lo, mas que o pensamento do assassínio não acudira nenhuma vez à mente do futuro assassino. Ou, mais sucintamente: "Páviel Pávlovitch queria matar, mas não sabia que o estava querendo. Isto não tem sentido, mas é assim mesmo — pensava Vieltchâninov. — Ele não veio a esta cidade para arranjar uma transferência, nem por causa de Bagaútov, embora realmente cuidasse daquela vaga, tivesse ido à casa de Bagaútov e até ficasse enfurecido quando este morreu; ele desprezava Bagaútov como uma lasca de madeira. Foi por minha causa que ele veio a esta cidade e trouxe Lisa".

"E eu mesmo esperava acaso que... ele fosse matar-me?" Resolveu que sim e que esperava isso justamente desde o momento em que o vira no carro, acompanhando o enterro de Bagaútov. "Como que passei a esperar algo... mas, naturalmente, não esperava isto, quer dizer, que ele fosse matar-me!..."

"E será verdade realmente tudo — exclamava ele, erguendo de repente a cabeça do travesseiro e abrindo os olhos —, tudo o que este... louco me disse ontem, sobre o seu amor por

O eterno marido

185

mim, quando lhe tremeu o queixo e ele bateu com o punho no peito?

"Sim, é a verdade absoluta! — decidia ele, aprofundando-se cada vez mais em seus pensamentos e procedendo a uma análise. — Este Quasímodo de T... era suficientemente estúpido e grato para se encher de amores pelo amante da própria mulher, em quem não notara *nada* durante vinte anos! Respeitou-me nove anos seguidos, lembrava-se de mim com veneração e conservou na memória minhas 'lucubrações'. E eu não sabia de nada, meu Deus! Ele não podia estar mentindo ontem! Mas amava-me acaso ontem, quando expressou o seu amor e disse: 'Ajustemos as contas?'. Sim, amava-me *por ódio*; e este amor é o mais forte...

"Mas pode muito bem ser, e por certo assim foi, que eu lhe tenha causado em T... uma impressão formidável, realmente formidável e 'benéfica'. É isso, na verdade, que deve ter acontecido a esse Schiller com semblante de Quasímodo! Ele me fez cem vezes maior do que sou, pois lhe causei uma impressão demasiado intensa, em sua filosófica solidão... Seria curioso saber com o que foi que eu o impressionei. Realmente, talvez com as luvas novas e com a minha habilidade em calçá-las. Os Quasímodos adoram a estética, oh, se adoram! As luvas são mais que suficientes para certas almas por demais generosas, sobretudo em se tratando de 'eternos maridos'. Quanto ao resto, eles mesmos são capazes de completá-lo, na razão de um para mil, e até se baterão por você, se você quiser. E em que alto apreço ele tem os meus meios de sedução! Talvez justamente esses meios de sedução o tenham impressionado mais que tudo. E o seu grito de então: 'Se também este, então em quem se vai acreditar depois disso?!'. Após um grito assim, uma pessoa pode transformar-se em fera!...

"Hum! Veio para esta cidade a fim de 'abraçar-se comigo e chorar' — como ele mesmo se expressou do modo mais torpe, isto é, ele vinha para me assassinar, mas julgava que fosse para 'abraçar e chorar'... E trouxe Lisa. Contudo, se eu tivesse chorado, é possível que ele realmente me perdoasse, pois tinha uma vontade imensa de perdoar!... Tudo isto se transformou, desde o primeiro encontro, em carantonhas de bêbado, em caricatura e em horríveis gemidos de mulher ofendida. (Ele mesmo apresentou os chifres, os chifres sobre a testa!) Por isto mesmo, vinha bêbado, a fim de dizê-lo, ainda que por entre esgares; não poderia fazê-lo em estado normal... E ele bem que gostava de fazer palhaçadas, oh, se gostava! Como ficou contente quando me obrigou a beijá-lo! Apenas não sabia então como acabaria o caso: um abraço ou uma punhalada? Concluiu, naturalmente, que o melhor seria uma coisa e outra. Era a decisão mais natural! Sim, a natureza não aprecia os monstros e extermina-os por meio das 'decisões naturais'. O mais monstruoso dos monstros é o monstro com sentimentos nobres: sei isso por experiência própria, Pável Pávlovitch! A natureza, para o monstro, não é mãe carinhosa, é madrasta. A natureza engendra o monstro e, em vez de apiedar-se dele, extermina-o — e com eficiência. Abraços e lágrimas de perdão total não ocorrem sem um preço, mesmo no caso de pessoas decentes, quanto mais em se tratando de gente como nós dois, Pável Pávlovitch!

"Sim, ele foi suficientemente estúpido para me levar também à casa da noiva, meu Deus! A noiva! Somente num Quasímodo desses podia surgir a ideia de 'ressurreição para uma vida nova', por intermédio da inocência de *mademoiselle* Zakhlébinina! Mas você não é culpado, Pável Pávlovitch, não tem culpa mesmo: é um monstro e, por isso, tudo em você deve ser monstruoso, inclusive os sonhos e as esperanças. Mas, embora seja realmente um monstro, surgiu-lhe uma dúvida sobre o seu sonho, e, por isso, precisou da sanção superior de Vieltchâninov, respeitado com tamanha veneração. Era necessária a aprovação de Vieltchâninov, uma confirmação da sua parte, no sentido de que o sonho não era sonho, mas um objeto real. Foi por respeito e veneração por mim que me levou lá, ao mesmo tempo que acreditava na nobreza dos meus sentimentos; julgava talvez que fôssemos abraçar-nos lá e chorar, sob um tufo de arbustos, na vizinhança da inocência. Sim! esse 'eterno marido' precisava, era obrigado, afinal, a castigar-se, um dia ao menos, por tudo e em caráter definitivo, e foi para se castigar que ele agarrou a navalha — de fato sem querer, mas assim mesmo agarrou! 'Apesar de tudo, ele deu a punhalada, acabou dando mesmo a punhalada, em presença do governador!' A propósito, teria ele algum pensamento dessa espécie, quando me contou aquela anedota sobre o padrinho de casamento? E houve realmente algo naquela noite, quando ele se levantou do leito e ficou parado no meio do quarto? Hum! Não, era uma *brincadeira*. Levantou-se porque teve necessidade, mas, ao ver que fiquei com medo dele, passou dez minutos sem me responder, pois era-lhe agradável o fato de eu ter medo dele... Com efeito, foi talvez então, quando se achava em pé, no escuro, que lhe surgiu, pela primeira vez, algum pensamento...

"E, no entanto, não tivesse eu esquecido ontem essas navalhas sobre a mesa e talvez nada acontecesse. Será verdade? Será realmente verdade? Ele bem que me evitou anteriormente, bem que passou duas semanas sem vir a minha casa; bem que ele se escondeu de mim, porque *tinha pena*! Bem que escolheu a princípio Bagaútov, e não a mim! Bem que correu de noite para esquentar os pratos, julgando conseguir assim um desvio — do cutelo à ternura!... Queria salvar-se a si mesmo e a mim — por meio de pratos aquecidos!..."

Por muito tempo ainda, trabalhou assim, passando do vazio ao vácuo, o cérebro doente desse antigo "homem da sociedade", até que, finalmente, conseguiu acalmar-se. Acordou no dia seguinte com a mesma cabeça doente, mas presa de *novo* terror, completamente inesperado.

Esse novo terror decorria da certeza absoluta — que nele se fortalecera inesperadamente — de que ele, Vieltchâninov, homem de sociedade, acabaria indo naquele dia mesmo, por sua própria vontade, à casa de Páviel Pávlovitch... Com que fim? Não sabia de nada em relação a isso e, cheio de repugnância, de nada queria saber. Sabia apenas que, por algum motivo, iria para lá, como que arrastado.

Este pensamento louco — pois não podia chamá-lo de outro modo — desenvolvera-se, no entanto, a tal ponto que adquirira, na medida do possível, uma aparência sensata e encontrara um pretexto bastante aceitável: tinha a impressão de que Páviel Pávlovitch, ao voltar ao seu quarto, iria fechá-lo com força e... enforcar-se, como aquele tesoureiro de que falara Mária Sissóievna. Essa ideia da véspera transformara-se nele, pouco a pouco, numa convicção absurda, mas invencível. "Mas para que este imbecil vai se enforcar?" — interrompia-se ele a todo momento. Lembrava-se das palavras de Lisa... "Aliás, em seu lugar, é possível que me enforcasse..." — pensou uma vez.

Por fim, em lugar de ir jantar, dirigiu-se realmente à residência de Páviel Pávlovitch. "Vou apenas perguntar a Mária Sissóievna" — decidiu. Mas, ainda antes de alcançar a rua, deteve-se de súbito junto ao portão.

"Como! como! — exclamou, rubro de vergonha. — Será possível que eu me arraste para lá, a fim de 'abraçar-me e chorar'? Será possível que falte apenas esta baixeza insensata para acrescentar a toda essa ignomínia?!"

Foi salvo, porém, da "baixeza insensata" pela Providência, que protege todas as pessoas criteriosas e decentes. Apenas saíra à rua, esbarrou nele, de repente, Aleksandr Lobov. O jovem estava esbaforido e perturbado.

— E eu que ia justamente à sua casa! O que me diz do seu amigo Páviel Pávlovitch?

— Enforcou-se? — murmurou Vieltchâninov, com expressão estranha.

— Enforcar-se? Para quê? — Lobov arregalou os olhos.

— Não foi nada... eu falei à toa; continue!

— Oh, diabo, mas que modo ridículo de pensar tem o senhor! Não se enforcou de modo algum (para que enforcar-

O eterno marido

189

-se?). Pelo contrário, foi embora da cidade. Eu acabo de o instalar no vagão, despachando-o daqui. Mas como bebe! Eu lhe conto! Esvaziamos três garrafas, Priedpossilov estava também conosco... Mas como ele bebe, como bebe! Cantou no vagão, lembrou-se do senhor, fez adeus com a mão, mandou transmitir-lhe as suas lembranças. Mas ele é um canalha. Não acha? Hem?

O rapaz estava realmente embriagado; o rosto enrubescido, os olhos brilhantes e a língua que mal lhe obedecia testemunhavam isso plenamente. Vieltchâninov riu a mais não poder:

— Então acabaram, realmente, numa *Bruderschaft*,[29] hem?! Ah, ah! Abraçaram-se e choraram! Ah, vocês, Schillers-poetas!

— Nada de injúrias, por favor! Sabe? Ele renunciou a tudo, lá. Esteve lá ontem e hoje também. Fez uma denúncia horrível. Nádia foi trancada na água-furtada. Gritos, lágrimas, mas não cedemos! Mas como ele bebe! É o que lhe digo: como bebe! E sabe? Ele é tão *mauvais ton*,[30] quero dizer, não é bem *mauvais ton*, mas como se diz?... E sempre se lembrava do senhor, mas pode-se acaso compará-los?! O senhor é, apesar de tudo, uma pessoa correta e, realmente, já pertenceu à alta sociedade. Agora é forçado a manter-se à parte... devido à pobreza talvez... Diabo que o carregue, não o compreendi bem.

— Então ele falou de mim nesses termos com o senhor?

— Ele, ele... não se zangue. Ser cidadão é melhor que pertencer à alta sociedade. Quero dizer que em nossos dias não se sabe, na Rússia, a quem se deve respeitar. Concorde comigo que é uma doença grave da época o fato de não se saber a quem respeitar, não é verdade?

[29] Em alemão no original: "Confraria". O termo indica também um grupo de pessoas que se reúnem para beber. (N. do T.)

[30] Em francês no original. Literalmente, "mau tom". (N. do T.)

— É verdade, é verdade; mas o que houve com ele?

— Ele? Quem? Ah, sim! Por que ele dizia o tempo todo: "Esse Vieltchâninov cinquentão, *mas* arruinado"? Por que o *mas* em lugar de: "*e* arruinado"?! Deu risada, repetiu isso mil vezes. Sentou-se no vagão, começou a cantar e chorou: foi simplesmente repugnante; assim embriagado, causa até lástima. Ah, não gosto de gente estúpida! Pôs-se a jogar dinheiro aos mendigos, pelo repouso da alma de Lisavieta...[31] foi mulher dele, não?

— Filha.

— O que tem na mão?

— Cortei-me.

— Não faz mal, vai passar. Sabe? Diabos o carreguem, foi bom que tenha partido. Mas eu sou capaz de jurar que, chegando a outra cidade, arranja mulher e se casa de novo, não é mesmo?

— Mas o senhor também não quer casar?

— Eu? Mas o caso é bem diferente. O senhor é realmente esquisito! Se o senhor tem cinquenta anos, ele com certeza já está com sessenta; o caso exige lógica, paizinho! E sabe? Há muito tempo já, eu era plenamente eslavófilo; mas, no atual momento, é do Ocidente que esperamos a aurora... Bem, até à vista; foi bom eu ter encontrado o senhor, sem entrar em sua casa. Não vou entrar, não me peça, não tenho tempo!... — E se pôs a correr. — Ah, mas que estou eu fazendo? — Voltou de repente. — Ele mandou que o procurasse com esta carta! Aí está. Por que o senhor não foi despedir-se dele?

Vieltchâninov voltou para casa e abriu o envelope que lhe fora endereçado.

Dentro não havia uma linha sequer de Páviel Pávlovitch, e sim outra carta. Vieltchâninov reconheceu a letra. Era uma carta antiga, o papel amarelecera com o tempo, e a tinta es-

---

[31] Corruptela de Ielisavieta. (N. do T.)

O eterno marido

tava desbotada. Fora escrita uns dez anos atrás para ele, então em Petersburgo, dois meses após a sua partida de T... Mas a missiva não lhe fora enviada; em lugar dela, recebera então uma outra. Isto se tornava evidente pelo conteúdo da carta amarelecida. Nesta, Natália Vassílievna despedia-se dele para sempre — exatamente como na carta que então recebera — e, embora confessando-lhe que amava outro, não lhe escondia estar grávida. Pelo contrário, consolando-o, prometia entregar-lhe, numa oportunidade favorável, a futura criança, assegurando-lhe que, de então em diante, tinham outras obrigações e que a amizade entre eles ficava assim fortalecida para a eternidade. Em suma, havia pouca lógica, mas o objetivo era sempre o mesmo: que ele a livrasse do seu amor. Autorizava-o até a ir a T... dentro de um ano, a fim de ver a criança. Deus sabe por que mudara de ideia e mandara outra carta em lugar daquela.

Lendo-a, Vieltchâninov empalideceu, mas imaginou também Páviel Pávlovitch descobrindo a carta e lendo-a pela primeira vez, diante do cofrezinho de família, de ébano com incrustação de madrepérola.

"Também ele deve ter ficado pálido como um defunto — pensou, notando involuntariamente o seu rosto no espelho. — Com certeza, lia e fechava os olhos, e, de repente, abria-os de novo, na esperança de que a carta se transformasse num simples papel em branco... Certamente, repetiu a experiência umas três vezes!..."

17.
O ETERNO MARIDO

Passaram-se quase dois anos desde os acontecimentos que acabamos de narrar. Vamos encontrar o senhor Vieltchâninov, num belo dia de verão, instalado no vagão de uma das nossas recém-inauguradas ferrovias. Para se entreter, dirigia-se a Odessa, onde ia visitar um amigo, levado, ao mesmo tempo, por mais um propósito, não menos agradável: esperava conseguir — graças aos bons ofícios desse amigo — um encontro com certa mulher muito interessante, e que havia muito desejava conhecer. Sem entrar em pormenores, vamos limitar-nos a observar que ele se transformara consideravelmente, ou melhor, se corrigira naqueles dois anos. Quase não lhe ficaram vestígios da antiga hipocondria. Das "recordações" e desassossegos — consequências da doença — que o haviam assaltado em Petersburgo, dois anos atrás, no decorrer daquele infeliz processo, ficara nele apenas certa vergonha oculta, oriunda da consciência da sua antiga fraqueza. Consolava-o em parte a certeza de que isso nunca mais aconteceria, e de que ninguém o saberia jamais. É verdade que, então, abandonara a sociedade, passara até a vestir-se mal, escondera-se de todos, e, naturalmente, *todos* notaram isso. Todavia, em pouco tempo voltara a frequentar a sociedade, reconhecendo a sua culpa, e com um ar tão renovado e firme que *todos* lhe perdoaram imediatamente o temporário abandono; mesmo aqueles a quem deixara de cumprimentar foram os primeiros a reconhecê-lo e estenderam-lhe a mão, e isto sem quaisquer perguntas aborrecidas — como se ele tivesse passado todo aquele tempo em alguma parte, longe, tratando dos seus assuntos domésticos, com os quais ninguém tinha coisa alguma a ver, e acabasse de voltar. A razão de todas aquelas transformações vantajosas e sadias era, naturalmente, o processo que ele ganhara. Vieltchâninov recebeu ao todo sessenta mil rublos. O caso era, pois, indiscutivelmente, de pequena monta, mas de extrema importância para ele: em primeiro lugar, tornou a sentir-se de imediato em solo firme e, por conseguinte, moralmente satisfeito; depois, sabia com certeza que não esbanjaria aquele seu último dinheiro, "como um imbecil", a exemplo do que fizera com as duas fortunas anteriores, e que o dinheiro lhe bastaria para toda a vida. "Por mais que estale o edifício social dessa gente, e seja qual for o tema que eles nos gritem aos ouvidos — pensava às vezes, fixando olhos e ouvidos nas coisas inauditas, maravilhosas, que estavam acontecendo ao seu redor e em toda a Rússia[32] —, não importa que transformações se deem com as pessoas e as ideias: terei sempre esta refeição requintada e saborosa, que me servem agora, e, por conseguinte, estou preparado para tudo o que vier." Este pensamento doce, raiando pela voluptuosidade, dominava-o por completo pouco a pouco, provocando até uma transformação física, para não falarmos na moral: aparecia agora como uma pessoa completamente diversa do "rato-do-campo" que descrevemos no início, e a quem sucederam histórias tão inconvenientes; tinha um ar alegre, franco, importante. Até as rugas inquietadoras, que haviam começado a acumular-se nos cantos de seus olhos e na fronte, estavam agora quase desfeitas. Modificou-se até a cor do seu rosto, mais alvo e rosado agora. Achava-se, pois, instalado confor-

---

[32] Aparece aí certa euforia provocada, na Rússia, pela abolição da servidão (1861) e por outras medidas liberais de Alexandre II, que seriam seguidas, no entanto, de um período de reação. (N. do T.)

tavelmente num carro de primeira classe, e um pensamento agradável se estava formando em seu espírito: na estação seguinte havia uma bifurcação, e uma linha recém-construída estendia-se para a direita. Se abandonasse, por um instante, a linha direta e se deixasse conduzir para a direita, poderia, duas estações após, visitar outra senhora conhecida, que acabava de voltar do estrangeiro, e que vivia então numa solidão provinciana, bem agradável para ele, ainda que muito cacete para ela; surgia, portanto, a possibilidade de passar o tempo de modo não menos interessante que em Odessa, tanto mais que também isso não haveria de escapar... Todavia continuava a vacilar, sem se decidir de vez: estava "à espera de um empurrão". E a estação já vinha próxima; o empurrão não tardou, igualmente.

Naquela estação, o trem parava por quarenta minutos, e os viajantes podiam jantar. Junto à entrada da sala de espera da primeira e da segunda classes, aglomerou-se, como de costume, uma impaciente e apressada multidão e, talvez também como de costume, ocorreu um escândalo. Uma senhora que acabava de deixar um vagão de segunda classe, bem bonitinha, mas vestida com demasiado luxo para uma viajante, quase arrastava atrás de si, com ambas as mãos, um oficialzinho de ulanos, muito jovem — belo rapaz que procurava livrar-se dela. O oficialzinho estava completamente embriagado, e a senhora, muito provavelmente sua parenta mais velha, não o deixava sair de perto, possivelmente por temor de que ele corresse para o bar. Entretanto, naquele aperto, esbarrou no ulano um comerciantezinho, que também farreara e perdera completamente a linha. Havia mais de um dia já que o negociante se detivera naquela estação, bebendo e atirando dinheiro fora, cercado de numerosos companheiros de ocasião, e sem achar oportunidade de se meter num trem e prosseguir viagem. Sobreveio uma briga; o oficial gritava, o comerciante dizia impropérios, a senhora desesperava-se e, arrastando o ulano para longe da confusão, exclamava, sú-

O eterno marido 195

plice: "Mítienka! Mítienka!".[33] Isto pareceu escandaloso ao comerciantezinho. É verdade que todos riram, mas ele ofendeu-se por causa da moral, que lhe pareceu, por algum motivo, ultrajada no caso.

— Estão vendo só? "Mítienka!" — disse, em tom de censura, arremedando a voz fininha da senhora. — Não se tem mais vergonha, nem mesmo em público!

Aproximou-se cambaleando da senhora, que se deixara cair sobre uma cadeira e já conseguira que o ulano se sentasse ao seu lado, mediu ambos com desprezo, e disse com voz arrastada e cantante:

— Você é uma meretriz, uma mulher à toa!

A senhora deixou escapar um grito esganiçado e olhou ao redor, aflita, esperando que alguém a defendesse. Tinha vergonha e, além disso, medo; e, para cúmulo da aflição, o oficial levantou-se violentamente da cadeira, pôs-se a berrar e atirou-se contra o comerciantezinho, mas escorregou e deixou-se cair novamente sentado na cadeira. As gargalhadas em torno eram cada vez mais fortes, e ninguém pensava sequer em ajudá-los; quem ajudou foi Vieltchâninov: de repente, agarrou o comerciantezinho pela gola e, virando-o, empurrou-o para uns cinco passos de distância da assustada mulher. E foi assim que o escândalo acabou; o comerciantezinho ficou profundamente estupefato, quer com o empurrão, quer com a estatura impressionante de Vieltchâninov; no mesmo instante, alguns companheiros conduziram-no para fora. O semblante imponente daquele cavalheiro vestido com elegância produziu também grande efeito sobre os zombeteiros espectadores: o riso cessou. A senhora, corando e quase em lágrimas, pôs-se a expressar com efusão o seu agradecimento. O ulano balbuciava: "Obrigado, obrigado!" — e tentou estender a mão a Vieltchâninov, mas, de repente, teve, em lu-

---

[33] Diminutivo afetuoso de Dmítri. (N. do T.)

gar disso, a ideia de se deitar sobre as cadeiras, e estendeu-se ali ao comprido.

— Mítienka! — gemeu a senhora, em tom de censura, agitando os braços.

Vieltchâninov estava contente com aquela aventura e com as circunstâncias da sua intervenção. A senhora despertara o seu interesse; era, aparentemente, uma provincianazinha rica, vestida com luxo, embora sem gosto, e com maneiras até certo ponto ridículas: isto é, reunia justamente tudo o que assegura a um elegante da capital a vitória sobre uma mulher, com determinados objetivos. Iniciou-se uma conversa; a senhora falava com ardor, queixando-se do marido, que "desapareceu de repente do vagão, e tudo resultou justamente disso, pois, sempre que é preciso estar presente, ele desaparece...".

— Foi por necessidade... — balbuciou o ulano.

— Ah! Mítienka! — e ela agitou novamente os braços.

"O marido vai apanhar!" — pensou Vieltchâninov.

— Como se chama? Vou procurá-lo — ofereceu-se ele.

— Pal Pálitch[34] — acudiu o ulano.

— O seu marido chama-se Páviel Pávlovitch? — perguntou Vieltchâninov curioso, e, de repente, a cabeça calva sua conhecida interpôs-se entre ele e a senhora. Num instante, lembrou o jardim em casa dos Zakhlébinin, os jogos inocentes e a aborrecida cabeça calva, que se metia, incessantemente, entre ele e Nadiejda Fiedossiéievna.

— Enfim, você chegou! — exclamou histericamente a esposa.

Era de fato Páviel Pávlovitch; olhava surpreso e assustado para Vieltchâninov, estupefato diante dele, como diante de uma assombração. Era tal a sua perplexidade que, por algum tempo, pareceu não compreender nada do que lhe explicava a esposa ofendida, numa fala rápida e irritada. Finalmente,

[34] Corruptela de Páviel Pávlovitch. (N. do T.)

estremeceu e compreendeu, num instante, todo o horror da sua situação: a sua culpa, aquele Mítienka, e o fato de que o *monsieur* (a senhora designava assim Vieltchâninov, não se sabia por quê) "foi o nosso anjo da guarda, o nosso defensor, e você... você está sempre sumindo, justamente quando a sua presença é necessária"...

Vieltchâninov pôs-se de repente a rir.

— Mas nós dois somos amigos, amigos de infância! — exclamou, dirigindo-se à surpreendida senhora, e passando, com ar protetor e familiar, o braço direito sobre os ombros de Páviel Pávlovitch, que esboçara um sorriso pálido. — Ele não lhe falou de Vieltchâninov?

— Não, nunca me falou.

A esposa continuava um tanto perplexa.

— Vamos, infiel amigo, apresente-me à sua esposa!

— Este aqui, Lípotchka,[35] é realmente o senhor Vieltchâninov, aí está... — começou Páviel Pávlovitch e interrompeu-se, envergonhado. A esposa abrasou-se e dirigiu-lhe um olhar cintilante de ódio, provavelmente por causa daquele "Lípotchka".

— Imagine que ele não me comunicou o casamento, nem me convidou para a cerimônia, mas a senhora, Olimpiáda...

— Siemiônovna — completou Páviel Pávlovitch.

— Siemiônovna! — acudiu de repente o ulano, que adormecera.

— Desculpe-o, Olimpiáda Siemiônovna, faça-o por mim, em homenagem a este encontro de velhos amigos... Ele é um bom marido.

E Vieltchâninov deu um tapa amistoso nas costas de Páviel Pávlovitch.

— Eu, queridinha, afastei-me por um instantinho só... — tentou justificar-se Páviel Pávlovitch.

[35] Diminutivo de Olimpiáda, nome extravagante também em russo. (N. do T.)

— E deixou que a sua mulher se cobrisse de vergonha! — interrompeu-o no mesmo instante Lípotchka. — Quando é preciso, você nunca está; quando não faz falta, acode sempre...

— Quando não faz falta, acode sempre, quando não faz falta... quando não faz falta... — confirmou o ulano.

Lípotchka quase sufocava de exaltação. Sabia que aquilo não ficava bem na presença de Vieltchâninov e corava, porém não conseguia dominar-se.

— Você é por demais prudente quando não é necessário, por demais prudente! — deixou ela escapar.

— Ele fica procurando... amantes embaixo da cama... embaixo da cama... quando não é necessário... — disse Mítienka, ficando, de súbito, também extremamente exaltado.

Mas já não se podia fazer nada com Mítienka. Aliás, tudo terminou de modo agradável; tornou-se mais íntimo o convívio. Mandou-se Páviel Pávlovitch buscar café e caldo quente. Olimpiáda Siemiônovna explicou a Vieltchâninov que eles vinham de O..., onde o marido trabalhava, e iam passar dois meses na sua propriedade rural, que ficava perto daquela estação, quarenta verstas ao todo, que tinham lá uma linda casa, com jardim, que estavam esperando hóspedes, que possuíam também vizinhos e que se Aleksiéi Ivânovitch fosse bondoso, a ponto de querer visitá-los, "naquela solidão", ela o receberia como "um anjo da guarda", pois não podia imaginar, sem ficar horrorizada, o que teria acontecido se... e assim por diante, e assim por diante — numa palavra: "como um anjo da guarda"...

— É um salvador, um salvador — insistiu calorosamente o ulano.

Vieltchâninov agradeceu-lhes polidamente e respondeu que seria um prazer, que era um homem de todo ocioso e desocupado, e que o convite de Olimpiáda Siemiônovna lisonjeava-o ao extremo. A seguir, entabulou com ela uma conversa bastante alegre, na qual conseguiu incluir dois ou três galanteios. Lípotchka enrubesceu de contentamento e, entusiasmada, declarou a Páviel Pávlovitch, assim que regressou, que Aleksiéi Ivânovitch fora bondoso a ponto de aceitar o convite que ela lhe fizera, e que ia passar um mês inteiro na casa de campo deles, tendo prometido aparecer dentro de uma semana. Páviel Pávlovitch sorriu desconcertado e permaneceu silencioso. Olimpiáda Siemiônovna sacudiu os ombrinhos na sua direção e ergueu os olhos para o céu. Finalmente, separaram-se; mais uma vez, expressões de gratidão, novamente o "anjo da guarda", novamente "Mítienka", até que Páviel Pávlovitch conduziu a esposa e o ulano para o vagão. Vieltchâninov acendeu um charuto e pôs-se a caminhar pela galeria na frente da estação; sabia que Páviel Pávlovitch não tardaria a vir correndo, a fim de conversar um pouco, até que o sinal de partida fosse dado. E foi o que aconteceu. Páviel Pávlovitch surgiu diante dele, com uma interrogação alarmada nos olhos e em todo o rosto. Vieltchâninov pôs-se a rir, segurou-lhe "amistosamente" o cotovelo, e, arrastando-o para o banco mais próximo, sentou-se e fê-lo sentar-se a seu lado. Ele mesmo permaneceu silencioso; queria que Páviel Pávlovitch fosse o primeiro a falar.

— Então, o senhor vem à nossa casa? — balbuciou o outro, indo ao assunto com absoluta franqueza.

— Eu sabia que seria assim mesmo! Não mudou nem um pouco! — Vieltchâninov soltou uma gargalhada. — Mas será possível — tornou a dar-lhe uma palmada no ombro —, será possível que o senhor realmente imaginou, uma vez que fosse, que eu poderia hospedar-me em sua casa, e ainda por um mês inteiro? Ha-ha!

Páviel Pávlovitch estremeceu com todo o corpo.

— Então... não virá?! — exclamou, não escondendo nem um pouco a sua alegria.

— Não irei, não irei! — Vieltchâninov ria, satisfeito consigo mesmo. Aliás, ele próprio não compreendia por que tinha tanta vontade de rir; esta, porém, crescia cada vez mais.

— Será possível... será possível que esteja dizendo a verdade? — Páviel Pávlovitch chegou a dar um pulinho de ansiosa expectativa.

— Mas eu já disse que não irei; o senhor é uma pessoa bem esquisita!

— Nesse caso, como farei... Se isso é verdade, o que vou dizer a Olimpiáda Siemiônovna quando o senhor não vier, daqui a uma semana, e ela estiver à sua espera?

— Cada dificuldade! Diga-lhe que quebrei a perna ou algo no gênero.

— Não vai acreditar — arrastou Páviel Pávlovitch com vozinha lastimosa.

— E o senhor vai apanhar por causa disso? — Vieltchâninov não parava de rir. — Mas eu noto, meu pobre amigo, que está sempre tremendo diante da sua encantadora esposa, hem?

Páviel Pávlovitch tentou sorrir, mas não conseguiu. Sem dúvida, fora bom que Vieltchâninov tivesse desistido de hospedar-se em casa deles, mas era mau que tivesse aquelas familiaridades ao referir-se à esposa. Páviel Pávlovitch contraiu o rosto. Vieltchâninov percebeu-o. Entretanto, soara já o segundo sinal; veio do vagão, ao longe, uma vozinha fina, que, sobressaltada, chamava Páviel Pávlovitch. Este mexeu-se em seu lugar, mas não correu para atender ao chamado, esperando, segundo parecia, algo mais de Vieltchâninov: naturalmente, que este assegurasse, uma vez mais, que não pretendia hospedar-se em sua casa.

— Qual é o sobrenome de solteira da sua esposa? — interrogou-o Vieltchâninov, parecendo não perceber de modo algum a inquietação de Páviel Pávlovitch.

— É a filha de nosso reverendíssimo — respondeu o outro, de ouvido atento e lançando olhares aflitos ao vagão.

— Ah, compreendo, escolheu-a por sua beleza.

Páviel Pávlovitch tornou a contrair o rosto.

— E o que faz com vocês esse Mítienka?

— Não é ninguém; apenas um nosso parente afastado, isto é, meu, filho da minha falecida prima; chama-se Golúb-

O eterno marido

201

tchikov.[36] Foi reformado por mau comportamento, mas agora o reintegraram; nós o equipamos... É um moço infeliz...

"Ora, bem, bem, está tudo em ordem; não falta nada!" — pensou Vieltchâninov.

— Páviel Pávlovitch! — ressoou novamente um chamado logínquo, vindo do vagão, percebendo-se já uma nota por demais irritada.

— Pal Pálitch! — ouviu-se outra voz, rouquenha.

Páviel Pávlovitch agitou-se novamente, mas Vieltchâninov agarrou-lhe com força o cotovelo e deteve-o.

— Quer que eu vá contar imediatamente à sua esposa como tentou esfaquear-me, hem?

— Como, como! — assustou-se terrivelmente Páviel Pávlovitch. — Que Deus o livre e guarde.

— Páviel Pávlovitch! Páviel Pávlovitch! — ressoaram novamente algumas vozes.

— Bem, vá de um vez! — soltou-o finalmente Vieltchâninov, continuando a rir com expressão bonachona.

— Então, não virá? — murmurou pela última vez Páviel Pávlovitch, quase em desespero e até juntando as mãos na frente dele, à moda antiga, palma com palma.

— Eu lhe juro que não irei! Vá correndo, senão acontece-lhe uma desgraça!

E, num gesto largo, estendeu-lhe a mão; estendeu-a e estremeceu: Páviel Pávlovitch não pegou naquela mão, e até afastou a sua bruscamente.

Soou o terceiro sinal.

Num instante, algo estranho sucedeu a ambos; pareciam transfigurados. Algo como que estremeceu e rompeu-se de repente dentro de Vieltchâninov, que ainda um pouco antes

---

[36] Sobrenome que pode ter intenção irônica, devido à semelhança com *golúbtchik* ("pombinho, querido"). Esta palavra emprega-se também no sentido de "meu caro". (N. do T.)

ria tanto. Agarrou com força, encolerizado, o ombro de Páviel Pávlovitch.

— Se eu, sim, *eu*, lhe estendo esta mão — mostrou-lhe a palma da mão esquerda, em que ficara, bem nítida, a extensa cicatriz do corte —, o senhor poderia muito bem apertá-la! — murmurou, os lábios trêmulos e empalidecidos.

Páviel Pávlovitch empalideceu também, e os seus lábios igualmente tremeram. Certas convulsões correram-lhe, de súbito, pelo rosto.

— E Lisa? — balbuciou, rápido, e de repente os lábios, as faces e o queixo começaram a tremer-lhe, e as lágrimas jorraram-lhe dos olhos. Vieltchâninov ficou parado diante dele, como um poste.

— Páviel Pávlovitch! Páviel Pávlovitch! — urraram do vagão, como se alguém estivesse sendo esfaqueado. E, de repente, o apito ressoou.

Páviel Pávlovitch voltou a si, agitou os braços e pôs-se a correr a toda velocidade; o trem já se afastava, mas ele conseguiu agarrar-se a algo e, de um salto, entrar no vagão. Vieltchâninov ficou na estação e só à noitinha prosseguiu viagem, depois de esperar novo trem. Não enveredou para a direita, a fim de visitar a sua amiga de província: não tinha disposição para tanto. E como lamentaria isso, mais tarde!

POSFÁCIO

Boris Schnaiderman

Este romance curto de Dostoiévski, ao qual ele se referia geralmente como "novela" nas cartas, é sem dúvida um dos momentos culminantes da sua obra. Isto foi percebido de imediato pela crítica, embora também aparecessem resenhas bastante negativas.

Em seu livro sobre Dostoiévski, André Gide conta que *O eterno marido* era considerado por muitos intelectuais franceses, no início do século XX, como a obra-prima de Dostoiévski. Discordando desta opinião, ele observava: "Mas, em todo caso, é uma obra-prima".[1] Realmente, não há como discordar desta asserção.

Ele ocupa igualmente um lugar especial entre os apreciadores russos da obra do romancista. Assim, o grande tradutor russo moderno, que praticamente revolucionou a arte da tradução na Rússia, Nikolai Liubimov cita em seu livro *Palavras que não ardem*, entre os textos literários que lhe ensinaram a arte da palavra, "o ruído unitonal e obsessivo dos pensamentos na cabeça de Vieltchâninov em *O eterno marido*, que Dostoiévski transmite não só com a escolha e o colorido das palavras, mas também com a ajuda de sua distribuição, com a ajuda do ritmo".[2]

[1] André Gide, *Dostoïevski*, Paris, Gallimard, 1970, p. 163.

[2] Nikolai Liubimov, *Niesgoráiemie slová* (Palavras que não ardem), Moscou, *Khudójestvienaia Litieratura* (Literatura), 2ª edição ampliada, 1988.

Impressiona, igualmente, a segurança com que o autor utiliza no livro alguns procedimentos narrativos. A técnica do suspense é empregada com mestria e percebe-se claramente que ela tem muito a ver com o romance-folhetim. Mas, se em *Humilhados e ofendidos* temos um folhetim puro e simples, o que foi reconhecido pelo próprio escritor, inclusive como autocrítica, a par da afirmação sobre essa obra de que "há nela meia centena de páginas de que me orgulho",[3] se no romance inacabado *Niétotchka Niezvânova* a última parte, bem folhetinesca, marca um contraste, que chega a ser chocante, com as duas primeiras partes, segundo algumas leituras,[4] em *O eterno marido* há um equilíbrio perfeito entre os capítulos, o suspense é mantido durante todo o relato, muito articulado com as próprias motivações psicológicas.

Afinal, que tipo de gente era aquele Páviel Pávlovitch Trussótzki, o homem do crepe no chapéu, o tipo acabado do "eterno marido", incapaz de viver fora da condição marital, e que definia a si mesmo colocando os dedos sobre a cabeça em forma de cornos? Ele atormentava aquela pobre criança, Lisa, e ao mesmo tempo deixava escapar a expressão de um amor intenso por ela. Há muito de bufão em seu comportamento, mas é certamente um bufão trágico, um dos famosos bufões trágicos de Dostoiévski: Marmieládov, de *Crime e castigo*, Fomá Opískin, de *A aldeia de Stepántchikovo e seus habitantes*, e tantos mais, inclusive, em certo sentido, o velho Karamázov. Mas nenhum deles é tão enigmático, tão mutável e contraditório. Na realidade, a mestria no desenrolar da trama romanesca está ligada ao essencial da obra, torna-se quase impossível pensar nela sem aquele intrincado relacionamento entre os dois personagens masculinos.

---

[3] Nota de Dostoiévski publicada na revista *Vriêmia* (*O Tempo*) em 1864.

[4] Cf. Fiódor Dostoiévski, *Niétotchka Niezvânova*, tradução de Boris Schnaiderman, São Paulo, Editora 34, 2002.

Desde os primeiros capítulos, surge um enigma. Lisa era filha de quem? De Vieltchâninov, com quem Trussótzki mantinha aquela relação tortuosa, e que fora amante da mulher deste? Do próprio Trussótzki, que a menina chama de pai? Ou de um terceiro, com quem a mulher mantivera uma relação, depois da partida de Vieltchâninov da cidadezinha de província e que aparece apenas referido no romance? O suspense permanece até perto do final do livro, quando Trussótzki entrega ao outro uma carta escrita pela mulher, endereçada a ele, e que ficara entre os papéis da falecida.

A figura trágica da criança tão infeliz perpassa o livro todo, é praticamente um *Leitmotiv*, mas ao mesmo tempo chega ali ao máximo a capacidade de Dostoiévski de entrosar os momentos cômicos com a tragédia essencial do texto. Foi provavelmente a perfeita realização desses momentos que suscitou a opinião equivocada de um colaborador anônimo do dicionário Laffont-Bompiani de obras literárias, que escreveu: "Do ponto de vista literário, este romance é talvez a melhor de suas obras humorísticas. Ele é bem equilibrado e está penetrado de uma veia cômica, fresca e espontânea".[5]

Com efeito, o romance relaciona-se com os textos mais humorísticos de Dostoiévski. Veja-se, neste sentido, o capítulo final, onde o oficialzinho de ulanos, quase arrastado por ambas as mãos pela dama que se casara com "o eterno marido", vai murmurando: "Ele fica procurando... amantes embaixo da cama... quando não é necessário... quando não é necessário...".

Isto nos remete evidentemente para o conto de Dostoiévski "A mulher alheia e o marido embaixo da cama", que é na realidade a junção de duas historietas da primeira fase, reunidas pelo autor num só texto após sua volta da Sibéria. Ele se caracterizava pela vivacidade e leveza, bem no espírito

---

[5] *Dictionnaire des oeuvres de tous les temps et de tous les pays*, Paris, Laffont-Bompiani, 1952, vol. II, p. 259.

Posfácio

dos *vaudevilles* da época, e não deixa de ter algo em comum com a ficção repleta de malícia de um Paul de Kock, a quem Dostoiévski se referiu mais de uma vez em seus escritos.

No livro, há constantes alusões a outras obras de Dostoiévski e retomada de temas que eram para ele verdadeira obsessão. Eles o atormentavam a tal ponto que, em sua correspondência, chegava a chamar este romance de "ignóbil". Não seria justo, porém, atribuir sua elaboração apenas aos compromissos financeiros do autor, sempre às voltas com credores, numa vida de nômade entre a Itália e a Alemanha, antes de seu regresso à Rússia com a mulher.

A presença do "homem do subsolo" parece soberana no texto, embora nem Vieltchâninov nem Trussótzki sejam meras projeções do famoso "paradoxalista".[6] Às vezes, esta presença se manifesta até em citações literais, como aquela passagem do capítulo 9 em que Vieltchâninov grita para Trussótzki: "Vá para o inferno com esta sua ignomínia subterrânea! Você é mesmo uma ignóbil criatura do subsolo!". Ou aquela outra fala do mesmo Vieltchâninov, no capítulo 13: "É tudo um absurdo: ambos somos gente viciosa, subterrânea, vil...". Outras vezes, há uma correspondência de discursos. Os tipos são diferentes, as motivações do cotidiano são outras, mas tudo, evidentemente, é relacionado pelo autor com os acontecimentos da década de 1860 na Rússia, quando ocorriam as reformas promovidas por Alexandre II e havia um sentimento de desafogo, a ponto de já se falar muito de *glasnost*, isto é, o estado da sociedade em que tudo aparece à luz do dia. O "homem do subsolo" seria aquele que ficava à margem deste movimento, embora, é evidente, o tipo seja muito universal.

Outros temas dostoievskianos candentes também estão muito presentes no texto. A eterna preocupação com o cri-

---

[6] Personagem central da novela *Memórias do subsolo*, da qual existem diversas traduções para o português, inclusive a publicada pela Editora 34 de São Paulo, em 2000, da autoria de Boris Schnaiderman.

me e o criminoso tem aí mais um desenvolvimento. Neste sentido, ele se encaixa na sucessão de obras em que esse tema aparece, desde *Escritos da casa morta* e *Crime e castigo* até *Os irmãos Karamázov*, inclusive as páginas extraordinárias que escreveu em crônicas sobre crimes da época, e que estão no *Diário de um escritor*.

Em *O eterno marido*, porém, surge uma problemática diferente e que o torna ainda mais misterioso, com a figura do "homem do crepe no chapéu". Este aparece, nos capítulos 15 e 16, como o "assassino sem querer". Ele tenta matar Vieltchâninov depois de tratar deste com todo o carinho e de aplicar-lhe compressas quentes para aplacar uma dor no peito. É tanto o seu desvelo que o outro se comove e lhe diz: "Você é melhor que eu!". Mas, instantes depois, Páviel Pávlovitch tenta matá-lo com uma navalha. E no íntimo de Vieltchâninov surge a noção de que gente daquela espécie tem de repente um impulso de matar e acaba matando sem nenhuma intenção prévia.

Não se tem já aí, claramente configurada, a concepção do "ato gratuito", que seria desenvolvida por Gide em vários de seus livros? Em todo caso, esta parte do romance suscita uma indagação profunda sobre as relações humanas, isto é, a ligação íntima entre amor e ódio. "Sim — pensa Vieltchâninov — amava-me *por ódio*, e este amor é o mais forte."

Os dois sonhos de Vieltchâninov, nos capítulos 2 e 15, aparecem com tanta nitidez e intensidade que dão a impressão de serem mais reais que os acontecimentos do cotidiano. E isso constitui uma característica dos sonhos na obra de Dostoiévski.

Algumas ideias que surgem de passagem no livro foram certamente caras ao escritor, como aquela afirmação de Vieltchâninov, que é repetida por Trussótzki no capítulo 13: "Os grandes pensamentos originam-se mais de um grande sentimento do que de uma grande inteligência". Temos aí, em forma condensada, uma etapa da polêmica de Dostoiévski com o racionalismo estreito, tão comum em seu tempo.

Posfácio

Tratando de temas universais e abrangentes, este romance está marcado também pela presença de elementos tipicamente russos nas relações interpessoais. Às vezes, aparecem ali referências a costumes tradicionais, como aquele de "mostrar" a noiva aos parentes e ao noivo, depois do acerto com a ajuda de uma casamenteira. Isto acaba obrigando o tradutor a introduzir notas de rodapé, e neste caso, além do tempo do enunciado e do tempo da enunciação, acaba aparecendo, para complicar a vida do leitor, o tempo da tradução, mas não há como evitar este inconveniente.

Outras passagens podem causar estranheza, como é o caso do beijo na boca entre homens, mas neste caso, só resta ao tradutor afiançar que não houve aqui traição ao original, e que isso não constitui surpresa para o público russo. Outras situações, igualmente, são difíceis de aceitar para um ocidental, mas o leitor acabará compreendendo estas diferenças.

Enfim, reunião de elementos tão díspares e que, às vezes, parecem contraditórios, este romance é, ao mesmo tempo, um dos momentos mais perfeitos da realização de Dostoiévski como narrador.

SOBRE O AUTOR

Fiódor Mikháilovitch Dostoiévski nasceu em Moscou a 30 de outubro de 1821, num hospital para indigentes onde seu pai trabalhava como médico. Em 1838, um ano depois da morte da mãe por tuberculose, ingressa na Escola de Engenharia Militar de São Petersburgo. Ali aprofunda seu conhecimento das literaturas russa, francesa e outras. No ano seguinte, o pai é assassinado pelos servos de sua pequena propriedade rural.

Só e sem recursos, em 1844 Dostoiévski decide dar livre curso à sua vocação de escritor: abandona a carreira militar e escreve seu primeiro romance, *Gente pobre*, publicado dois anos mais tarde, com calorosa recepção da crítica. Passa a frequentar círculos revolucionários de Petersburgo e em 1849 é preso e condenado à morte. No derradeiro minuto, tem a pena comutada para quatro anos de trabalhos forçados, seguidos por prestação de serviços como soldado na Sibéria — experiência que será retratada em *Escritos da casa morta*, livro que começou a ser publicado em 1860, um ano antes de *Humilhados e ofendidos*.

Em 1857 casa-se com Maria Dmitrievna e, três anos depois, volta a Petersburgo, onde funda, com o irmão Mikhail, a revista literária *O Tempo*, fechada pela censura em 1863. Em 1864 lança outra revista, *A Época*, onde imprime a primeira parte de *Memórias do subsolo*. Nesse ano, perde a mulher e o irmão. Em 1866, publica *Crime e castigo* e conhece Anna Grigórievna, estenógrafa que o ajuda a terminar o livro *Um jogador*, e será sua companheira até o fim da vida. Em 1867, o casal, acossado por dívidas, embarca para a Europa, fugindo dos credores. Nesse período, ele escreve *O idiota* (1869) e *O eterno marido* (1870). De volta a Petersburgo, publica *Os demônios* (1872), *O adolescente* (1875) e inicia a edição do *Diário de um escritor* (1873-1881).

Em 1878, após a morte do filho Aleksiêi, de três anos, começa a escrever *Os irmãos Karamázov*, que será publicado em fins de 1880. Reconhecido pela crítica e por milhares de leitores como um dos maiores autores russos de todos os tempos, Dostoiévski morre em 28 de janeiro de 1881, deixando vários projetos inconclusos, entre eles a continuação de *Os irmãos Karamázov*, talvez sua obra mais ambiciosa.

SOBRE O TRADUTOR

Boris Schnaiderman nasceu em Úman, na Ucrânia, em 1917. Em 1925, aos oito anos de idade, veio com os pais para o Brasil, formando-se posteriormente na Escola Nacional de Agronomia do Rio de Janeiro. Naturalizou-se brasileiro nos anos 1940, tendo sido convocado a lutar na Segunda Guerra Mundial como sargento de artilharia da Força Expedicionária Brasileira — experiência que seria registrada em seu livro de ficção *Guerra em surdina* (escrito no calor da hora, mas finalizado somente em 1964). Começou a publicar traduções de autores russos em 1944 e a colaborar na imprensa brasileira a partir de 1957. Mesmo sem ter feito formalmente um curso de Letras, foi escolhido para iniciar o curso de Língua e Literatura Russa da Universidade de São Paulo em 1960, instituição onde permaneceu até sua aposentadoria, em 1979, e na qual recebeu o título de Professor Emérito, em 2001.

É considerado um dos maiores tradutores do russo em nossa língua, tanto por suas versões de Dostoiévski — publicadas originalmente nas *Obras completas* do autor lançadas pela José Olympio nos anos 1940, 50 e 60 —, Tolstói, Tchekhov, Púchkin, Górki e outros, quanto pelas traduções de poesia realizadas em parceria com Augusto e Haroldo de Campos (*Maiakóvski: poemas*, 1967, *Poesia russa moderna*, 1968) e Nelson Ascher (*A dama de espadas: prosa e poesia*, de Púchkin, 1999, Prêmio Jabuti de tradução). Publicou também diversos livros de ensaios: *A poética de Maiakóvski através de sua prosa* (Perspectiva, 1971, originalmente sua tese de doutoramento), *Projeções: Rússia/Brasil/Itália* (Perspectiva, 1978), *Dostoiévski prosa poesia* (Perspectiva, 1982, Prêmio Jabuti de ensaio), *Turbilhão e semente: ensaios sobre Dostoiévski e Bakhtin* (Duas Cidades, 1983), *Tolstói: antiarte e rebeldia* (Brasiliense, 1983), *Os escombros e o mito: a cultura e o fim da União Soviética* (Companhia das Letras, 1997) e *Tradução, ato desmedido* (Perspectiva, 2011). Recebeu em 2003 o Prêmio de Tradução da Academia Brasileira de Letras, concedido então pela primeira vez, e em 2007 foi agraciado pelo governo da Rússia com a Medalha Púchkin, em reconhecimento por sua contribuição na divulgação da cultura russa no exterior.

Faleceu em São Paulo, em 2016, aos 99 anos de idade.

ESTE LIVRO FOI COMPOSTO EM SABON,
PELA BRACHER & MALTA, COM CTP DA
NEW PRINT E IMPRESSÃO DA GRAPHIUM
EM PAPEL PÓLEN NATURAL 80 G/M^2 DA
CIA. SUZANO DE PAPEL E CELULOSE PARA
A EDITORA 34, EM FEVEREIRO DE 2025.